MOZART
L'ITINÉRAIRE LIBERTIN

ÈVE RUGGIERI

MOZART
L'ITINÉRAIRE LIBERTIN

Pour Marion
Qui a de Pamina les grâces
Et de Despina la fantaisie.

« Il nous a connus tous et nous a tous aimés. Sachons, cette nuit d'hiver, de cap en cap, du pôle tumultueux au château, de la foule à la plage, de regards en regards, forces et sentiments las, le héler et le voir, et le renvoyer, et sous les marées et au haut des déserts de neige, suivre ses vues, ses souffles, son corps, son jour. »

Arthur RIMBAUD,
Génie.

Mozart est mort le 5 décembre 1791. Il avait trente-cinq ans...

– 1 –

LA MORT D'ANNA-MARIA

« Ah, vous dirai-je maman,
ce qui cause mon tourment... »

Monsieur, mon très cher père,
J'ai à vous donner une très fâcheuse et très triste nouvelle, c'est
elle qui est responsable du fait que je n'ai pas encore répondu à
votre lettre du 11. Ma chère maman est très malade (...). Elle
est très faible, a encore de la fièvre, délire, on me donne de l'espoir
mais je n'en ai guère. Je passe depuis des jours de la crainte à
l'espoir, mais je m'en suis entièrement remis à la volonté de Dieu.
J'espère que vous en ferez de même, ainsi que ma chère sœur ;
existe-t-il un autre moyen pour être calme ? Je veux dire plus
calme, car on ne peut l'être totalement ; je suis confiant, quoi
qu'il arrive, car je sais que c'est Dieu qui ordonne tout pour
notre plus grand bien (même si nous croyons que tout va de
travers) et qui le veut ainsi (...). Je ne dis pas pour autant que
ma mère va mourir ou qu'elle doit mourir, que tout espoir est
perdu – elle peut recouvrer la fraîcheur et la santé, mais

uniquement si Dieu le veut. (...) Passons maintenant à autre chose, quittons ces tristes pensées. (...)

Ces tristes pensées, peut-il vraiment les quitter, Wolfgang Amadeus Mozart ? Il est seul, dans la chambre de sa mère, devant le petit bureau où elle avait coutume d'écrire à Léopold. Heina, son ami musicien, vient de partir. Avant de prendre congé, il a fermé les fenêtres et tiré les rideaux sur l'après-midi d'été qui alanguit Paris. Malgré ces précautions, les bruits de la ville parviennent encore aux oreilles de Wolfgang. Cris, appels des colporteurs, fracas infernal des fers, des roues et des sabots sur le pavé. Des rires, aussi, cruels à son âme. Mais rien qui couvre vraiment le crissement de la plume sur le papier, rien qui puisse le distraire de sa douloureuse mission.

Il s'interrompt et passe la main sur son visage. Il transpire abominablement. Les mèches de ses cheveux collent à son front. Il vient de poser sa perruque sur la table et de retirer sa veste ainsi que son gilet brodé. En bras de chemise, tête nue, il s'agite sur son siège, se lève, fait trois pas, se rassied.

Ce 3 juillet 1778, il fait une chaleur effroyable. La pièce baigne dans une légère pénombre qui sied à son état d'âme. Les contours des meubles, des malles bien rangées, du nécessaire à toilette s'estompent dans la demi-obscurité.

Sur le lit, Anna-Maria repose, inerte. Contrairement à ce que vient d'écrire son fils, tout espoir est désormais interdit. Elle n'est plus. Jamais elle ne reviendra à elle. La mort a adouci son visage, crispé par quatorze jours d'agonie. Elle vient de rendre son dernier souffle en terre étrangère, elle que rien, ni sa condition, ni ses aspirations, ne destinait à venir à Paris, et encore moins à y mourir.

Elle est là, gisante, à ses côtés, et il n'a rien pu faire. Il se souvient avec terreur des recommandations de son père qui le sommait de veiller sur elle. Mozart tremble à cette idée effroyable : sa mère est morte sous sa responsabilité.

Son agonie a duré deux semaines. Quatorze jours pendant lesquels Mozart, impuissant, a tenté de la soigner avec ses maigres ressources. Il a prié, dit des chapelets, baigné de compresses le front luisant de fièvre, éventé le visage. Il a eu peur, surtout, un effroi vif, violent, qui l'a précipité jusqu'aux faubourgs pour y trouver le fidèle Heina.

Il faut un médecin à sa mère, quand bien même s'y refuse-t-elle farouchement. Et puisqu'elle craint plus fort encore que la mort les docteurs français, il en trouvera un qui soit allemand. Mais c'est déjà trop tard.

Le brave homme a du métier et un diagnostic sûr, acquis en cinquante années de pratique. Quand il se penche sur ce corps contorsionné par la douleur, quand son regard croise celui, hagard, d'Anna-Maria, il sait que la mort fait son travail. Le verdict tombe comme un couperet : elle ne passera pas la nuit. Il lui fait absorber un peu de rhubarbe en poudre mêlée à du vin et s'en va d'un pas lourd. Sur le seuil, il hésite, se retourne et, de cette voix basse et sourde qu'empruntent les familiers dans la chambre d'un mourant, il chuchote à Wolfgang de faire venir un prêtre, pour les derniers sacrements...

Et c'est à nouveau la course dans un Paris vitrifié par le soleil, pour trouver un curé allemand. Mozart, haletant, éperdu, enjambe, presque sans les voir, sur le pavé, les mendiants et les estropiés. Les phrases de son père martèlent sa mémoire : « On ne meurt nulle part avec plaisir ; mais à Paris, pour un honnête Allemand, s'il est malade, voire s'il meurt, c'est doublement triste. »

Le prêtre viendra à temps pour donner les derniers soins à l'âme, et un médecin encore, envoyé par Mme d'Épinay. Mais c'est bien fini : Anna-Maria perd l'ouïe et délire toute la nuit. À cinq heures du matin, ce 3 juillet 1778, elle sombre dans un profond coma dont elle ne s'éveillera plus...

L'inconscience de sa mère finit de désespérer Wolfgang. Pendant cinq heures il tourne en tous sens, sanglotant violemment, sans pouvoir retenir ses larmes devant le terrible spectacle de l'agonie maternelle. « Je lui serrais la main, je lui parlais, mais elle ne me voyait pas. » Il ne veut pas qu'elle meure. Il n'a de sa vie jamais vu mourir personne, et il faut que sa mère soit justement la première.

Malgré les prières de Wolfgang, à 10 h 21 exactement Anna-Maria s'éteint, abandonnant à son désarroi et à la solitude ce fils de vingt-deux ans qui n'a jamais eu jusque-là à prendre la moindre responsabilité. Qui jamais jusqu'à ce jour ne s'était retrouvé seul, dans une ville étrangère et si terriblement hostile. Désormais tout repose sur ses frêles épaules. Le deuil, les sinistres démarches qu'il lui faudra accomplir pour l'enterrement et surtout, surtout, ce qu'il redoute le plus, la mission d'annoncer ce décès à son père.

Comment le lui dire ? Que lui dire ? Se sent-il coupable de n'avoir pas agi plus tôt ? De n'avoir pas imposé, dès les premières heures de la maladie, ce médecin français tant redouté par sa mère ? De ne l'avoir pas convaincue de prendre ce lavement qui l'aurait peut-être guérie ? Peut-il annoncer la chose froidement ?

Wolfgang n'a pas écrit à Léopold depuis plus de deux semaines. Tandis que le mal évolue et qu'il assiste, d'heure en heure, à la lente dégradation de la malade, jamais il ne prend la plume pour préparer son père au choc de la nouvelle. Sans doute a-t-il espéré, comme il l'écrit – et jusqu'au bout – qu'elle recouvrerait la santé. Sans doute aussi s'est-il conduit, face à ces événements, selon son habitude : en pratiquant l'art de l'esquive et de l'oubli.

Et quel oubli ! Loin de remplir sa mission et d'annoncer le décès d'Anna-Maria, il ment, appelle la mansuétude divine à la rescousse. « Espérons, écrit-il, mais pas beaucoup. » Et pour cause !

Devant la feuille blanche, le courage lui manque. Alors il décide de procéder en deux étapes. Dans cette première missive, il se contente d'évoquer la maladie, remettant au lendemain l'annonce de la mort. Au lendemain ? En fait, il attendra six jours pour apprendre l'accablante nouvelle à son père.

Pourquoi ? Pourquoi ce mensonge, cette « lâcheté » ? Pourquoi, surtout, la suite étrange qu'il donne à ses premières lignes ? « Pour passer à autre chose » et « quitter ces tristes pensées », il emprunte brusquement un ton enjoué, narrant avec force détails ses démarches, sa vie à Paris, et ses projets, comme si la mort de sa mère n'avait pas plus d'importance pour lui que celle d'une inconnue. Espère-t-il, en banalisant ce deuil, rassurer son père, le distraire de son angoisse ?

Le voici évoquant le succès remporté par la symphonie qu'il a écrite pour l'ouverture du Concert spirituel, bien que la première répétition ait été abominable, au point qu'il a failli descendre dans la fosse d'orchestre pour prendre l'instrument des mains du premier violon, M. Lahoussaye, et diriger tout lui-même. De plus en plus enjoué, il décrit ensuite le succès du concert. « Après la symphonie, je me rendis tout joyeux au Palais-Royal, pris une bonne glace, dis le chapelet que j'avais promis, et me rendis à la maison. » Et il enchaîne sur cet incroyable propos, d'autant plus ahurissant qu'il écrit du chevet de sa mère morte depuis quelques heures à peine : « Je vous donne une nouvelle que vous connaissez peut-être déjà, à savoir que Voltaire, ce mécréant et fieffé coquin, est crevé pour ainsi dire comme un chien. »

Inconscience, cynisme ? La deuxième partie de cette lettre, où Mozart évoque encore ses projets d'avenir et sa déception de ne pas trouver un bon livret pour l'opéra qu'il brûle de composer, a indigné la postérité. Comment le divin Mozart, le tendre enfant, cette ravissante enluminure de porcelaine dont l'effigie est aujourd'hui gravée sur les boîtes de chocolat de Salzbourg, a-t-il pu se montrer aussi « insensible » devant la dépouille encore chaude de sa mère ? Comment a-t-il pu mentir au chevet même de son lit de mort ?

Mais que lui reproche-t-on, au juste, à ce jeune homme ? Sa froideur ? Son manque d'émotion ? Même Alfred Einstein, qui s'est penché sur le « cas » Mozart, éprouvera une gêne à propos de ces lignes. À ses yeux, elles constituent une tache dans la correspondance. Une souillure. Sans doute voudrait-il, comme beaucoup de penseurs du XIXe siècle, que la vie quotidienne d'un génie soit en tous points semblable à la formidable beauté de son œuvre. Il fallait que Mozart fût divin, comme si sa musique, ses compositions avaient été le fruit d'une longue réflexion morale. Comme si ses partitions devaient illustrer et servir à l'édification d'un ordre absolu, jeté en exemple au commun des mortels. Mais ce schéma, c'est celui d'un homme mûr. Ce n'est en rien Mozart.

Lui, il est né musique. Une musique qu'il porte comme une lumineuse évidence. S'il est conscient de son extraordinaire talent, il ne s'appesantit jamais sur son processus créatif. Il a le don, et depuis ses plus tendres années il manifeste une avidité insatiable à l'exprimer. De plus, dans ses lettres, les rares commentaires qu'il fera sur ses œuvres prouvent que jamais, sauf peut-être dans les dernières années de sa vie, il n'a été sujet à l'introversion. Sa mère est morte. Il en accepte la fatalité, sans se torturer sur ce que représente pour lui cette disparition. Ce n'est pas sur lui qu'il pleure, mais sur son père dont il redoute le chagrin.

Réaction enfantine ? Sans doute. Sa prodigieuse richesse d'expression musicale semble assortie d'une tout aussi prodigieuse immaturité. À Paris, malgré ses vingt-deux ans, il continue de se comporter comme un jeune adolescent : têtu, naïf, fantasque, totalement dépourvu de calcul, de « raison » dit son père. Un sujet l'ennuie ? Il le chasse aussitôt de son esprit. Et s'il lui faut rendre des comptes, comme son père l'exige, il truque la réalité, la masque, ment par omission et élude tous les sujets désagréables. Ce qui peut contrarier Léopold, il l'esquive, d'une pirouette, d'un jeu de mots.

Et c'est ce qu'il fait dans cette lettre. Mais en se hâtant d'en rédiger une autre, qu'il destine à l'abbé Franz-Joseph Bullinger, à Salzbourg.

Il est deux heures du matin, et il vient d'envoyer sa première missive à Léopold.

Un cierge brûle dans la chambre. On a fait la toilette de la morte et l'idée du désarroi de son père obsède Wolfgang. Il n'est sans doute pas satisfait de ce qu'il vient d'écrire, car il reprend la plume :

« Très cher ami,

« Pour vous tout seul.

« Pleurez avec moi, mon ami ! Ce fut le jour le plus triste de ma vie. – Il faut encore que je vous le dise : ma mère, ma chère maman n'est plus ! Dieu l'a rappelée à lui. Il voulait l'avoir, je le voyais clairement, et c'est pourquoi je me suis remis à la volonté de Dieu. Il me l'avait donnée, il pouvait aussi la prendre. Imaginez l'inquiétude, l'angoisse et les soucis que j'ai endurés pendant ces quinze jours. Elle est morte sans s'en rendre compte, s'est éteinte comme une lumière. *(...)* Je vous prie, très cher ami, conservez-moi mon père, donnez-lui du courage pour qu'il ne prenne pas la nouvelle trop douloureusement ni tragiquement lorsqu'il l'apprendra ; je vous recommande également de tout cœur ma sœur – allez tout de suite les voir, je vous en prie –, ne leur dites pas encore qu'elle est morte, mais préparez-les à l'apprendre. Faites ce que vous voulez – utilisez tous les moyens –, veillez seulement à ce que je puisse être rassuré et que je ne doive pas m'attendre encore à un autre malheur. Préservez-moi mon cher père et ma chère sœur. Donnez-moi tout de suite votre réponse, je vous en prie. »

C'est cette lettre-là qui dit la vérité de Mozart face à la mort de sa mère. Cette lettre qui nous le montre éperdu, seul, triste et abattu. Cette lettre qui ressemble à celle d'un enfant qui appelle à l'aide. Un enfant malgré ses vingt-deux ans, et terriblement résigné. Mais était-on autrement que résigné face à la mort, dans ce siècle où elle est omniprésente, où les enfants « meurent comme des mouches », où les épidémies déciment des populations entières ?

Il n'est d'ailleurs pas le seul à s'en remettre à Dieu, à accepter, sans l'ombre d'une révolte, la volonté divine. À La Haye, le 5 novembre 1765, Léopold a fait de même au chevet de sa fille Nannerl. Elle a quinze ans à l'époque. La congestion pulmonaire qu'elle a contractée s'est aggravée. Elle est sur son lit et râle.

On l'a, à tort, déclarée perdue : « L'homme ne peut pas échapper à son destin. Le médecin lui-même n'avait plus aucun espoir. Ma pauvre enfant se rendait bien compte de sa faiblesse et du danger dans lequel elle se trouvait. Je l'engageai à se résigner à la volonté de Dieu... lui fis administrer les saints sacrements. Quiconque aurait entendu les conversations que nous eûmes tous trois, ma femme, ma fille et moi, plusieurs soirs, tandis que dans la pièce voisine Wolfgang s'occupait de musique, n'aurait pu s'empêcher de pleurer. Ma femme et moi persuadions la petite de la vanité de ce monde et du bonheur de mourir jeune pour un enfant (...). Dans son délire, elle s'exprimait tantôt en anglais, tantôt en français, tantôt en allemand, et de telle sorte que malgré notre tristesse nous étions pourtant obligés de rire. »

Léopold et sa femme avaient-ils donc, eux aussi, le cœur sec ? Ou bien la foi et la réalité quotidienne de la mort conduisaient-elles au fatalisme ? Peut-on imaginer aujourd'hui des parents tenant le même discours au chevet de leur enfant, supportant, pendant ce qu'on croit être son agonie, que le petit dernier continue ses exercices au piano ? Non, de toute évidence.

Cette nuit-là, la dernière qu'il passe avec Anna-Maria, Wolfgang contemple longuement son corps immobile, ses traits paisibles, ses mains croisées sur la poitrine qu'aucun souffle ne soulève plus, il songe à elle. Elle était sa mère, bien sûr, mais il ne la regardait plus depuis si longtemps ! Elle, tellement discrète, si passive et résignée, lui était devenue, depuis de nombreuses années, presque étrangère, et il lui faut remonter très loin dans sa mémoire, jusqu'à sa petite enfance, pour retrouver des souvenirs communs. Des jeux, des devinettes, ainsi que ces plaisanteries un peu lourdes qu'elle lançait volontiers et dont ils riaient tous ensemble.

Il songe à l'insouciance de ces années-là, aux pièces ensoleillées qu'ils occupaient, au troisième étage de la maison bourgeoise de M. Haguenauer, aux chants des fauvettes qu'elle aimait taquiner et choyer. Des souvenirs si ténus, si fragiles, de cette mère qui n'était pas là lorsqu'il travaillait sa musique avec Nannerl et Léopold. Pas là lorsqu'ils recevaient les amis musiciens de Salzbourg. Pas là lorsqu'il entreprit le beau voyage en Italie. Enfant, quand il écrivait à la maison, c'est à Nannerl sa sœur qu'il s'adressait surtout, se contentant en fin de lettre « de baiser mille fois les mains de ma chère maman ».

De toute évidence, dans la partition sentimentale de Mozart, la voix d'Anna-Maria s'est très vite éteinte.

Aurait-il eu le temps de l'aimer autrement, davantage ? Dès sa prime enfance – en fait dès qu'il manifeste une disposition pour la musique –, Léopold s'est substitué à Anna-Maria. Prenant sous sa coupe ce fils, ce bébé encore, qui révèle non seulement des dons prodigieux, mais une extraordinaire soif d'apprendre.

« À trois ans, il se divertissait pendant des heures à rechercher l'agréable harmonie qu'il produisait chaque fois », écrit Nannerl sur son cahier.

« Dès qu'il commença à s'adonner à la musique, constate Andreas Schachtner, trompette à la cour de

Salzbourg et ami de Léopold, tous ses sens furent comme morts à toute autre occupation, et même les enfantillages et petits jeux devaient, pour l'intéresser, être accompagnés de musique. »

Comment Anna-Maria aurait-elle pu le suivre sur cette voie ? Le génie de son fils la dépassait totalement. Pis, il avait creusé entre elle et lui, dès les premières années, un irréversible fossé.

Anna-Maria était une femme simple, de souche paysanne. Seul son père, Wolfgang Nicolaus Pertl, avait étudié le droit à l'université de Salzbourg, puis enseigné le chant à l'église Saint-Pierre avant d'embrasser la carrière d'intendant au tribunal de curatelle. Mais il mourut quatre ans après la naissance d'Anna-Maria, sa troisième et dernière fille ; et sa veuve, privée de ressources, avait dû élever ses enfants en économisant sur tout et sur leur instruction.

Quand Anna-Maria rencontra Léopold Mozart, ils avaient tous les deux vingt-cinq ans. Ils ne se marièrent que trois ans plus tard. La légende veut qu'ils aient formé, tous les deux, le plus beau couple de Salzbourg et que, le jour des noces, le charme de la jeune femme ait fait plus d'un jaloux. Léopold et Anna-Maria étaient assurément un couple heureux. Il n'est pas une lettre dans laquelle Léopold ne s'inquiète d'elle, de sa santé, de son confort ; pas un anniversaire de mariage qu'il n'ait fêté, se félicitant à chaque fois du bon contrat qu'ils avaient passé devant Dieu. Toutefois, il la dominait jusqu'à l'infantiliser.

Anna-Maria était loin de posséder l'intelligence de son mari. Elle ne jouait d'aucun instrument, ne brillait d'aucune culture. Son orthographe et sa syntaxe, même si l'on considère l'époque, restaient des plus hasardeuses. Mais elle était enjouée, chaleureuse et simple, sans doute enfantine. Très attachée à Nannerl, la sœur aînée de Wolfgang, elle se plaît à lui écrire ses étonnements de provinciale. À sa fille, elle peut livrer en toute ingénuité sa vraie nature. Celle d'une « Bavaroise simple » que le bonheur domestique épanouit pleinement. Le Paris de 1778 qui l'intéresse, c'est celui d'une extravagance qui ne cesse de l'abasourdir.

« La mode veut ici qu'on ne porte ni boucles d'oreilles, ni rien autour du cou, pas d'épingles à cheveux empierrées, pas la moindre petite pierre scintillante, précieuse ou fausse ; en revanche les coiffures sont étonnamment hautes, sans toupet en forme de cœur mais uniformément hautes, parfois de plus d'un tiers d'aune, et au-dessus seulement la coiffe qui est encore plus haute que le toupet, par-derrière une natte ou un chignon qui descend bas dans le cou et, sur les côtés, beaucoup de boucles. Le toupet est crêpé et non pas en cheveux tirés. Elles les ont même portés si haut qu'on a dû surélever les carrosses car aucune femme ne pouvait s'y tenir assise droite, mais on en est déjà bien revenu. Les polonaises[1] sont très à la mode et

---

1. Manteau retenu par-derrière, avec soit une longue traîne, soit une partie arrondie dans le dos, et deux pans ouverts sur les côtés. Elles étaient généralement en taffetas finement rayé ou en indienne. (N.d.A.)

remarquablement belles. Les manteaux des jeunes filles célibataires sont justes au corps et n'ont pas de plis. »

Et en *post-scriptum* : « je salue bien Therezel et envoie un bisou à Pimperl. La fauvette vit-elle toujours ? »

Tandis que Léopold se morfond sur l'avenir de Mozart, sur ses chances de trouver un engagement prestigieux à Paris, les préoccupations d'Anna-Maria n'ont rien de métaphysique et se situent à des années-lumière de celles de son fils. Quand elle a le cœur à plaisanter, elle donne volontiers dans la plaisanterie scatologique, dont elle truffe ses lettres. « ... adio ben mio, de toi prends grand soin, et ton cul tends-le bien, pète à tout va et chie dans les draps, voilà que je fais des vers, mais continue toi-même », écrit-elle à Léopold. Vulgaire, pragmatique, mais amoureuse de ce mari qui la dorlote, qui prend en main sa destinée comme celle de toute la famille. Jugeant, tranchant, comptant les deniers. Décidant des voyages et des haltes, des propos à tenir, des gens à voir. Il sait sa femme incapable de la moindre décision et viscéralement attachée à son petit monde, à Salzbourg, à sa maison. La seule musique qui intéresse Anna-Maria c'est celle de sa vie : ses voisins, ses commerçants, son chien Pimperl, sa cuisine. Une musique fruste qui ne peut en aucun cas atteindre les oreilles de Wolfgang, et cela Léopold le sait.

Dès lors comment cet homme si vigilant, si conscient des limites de sa femme et tellement attaché à elle a-t-il pu la laisser partir pour un si long voyage ? Comment a-t-il pu lui demander d'accompagner ce fils qu'il maîtrise de plus en plus mal et qu'il sait capable de se lancer dans les aventures les plus extravagantes ? Une seule raison à cette « distraction » : son employeur, le hautain prince-archevêque de Salzbourg, Colloredo, lui a refusé le congé qu'il demandait ; et l'on imagine son effroi. Il a peur de perdre son fils, de le voir voler de ses propres ailes dans de mauvaises directions. Il prend alors la plus incroyable, la plus absurde des résolutions : Anna-Maria partira avec Wolfgang.

Mais comment peut-il espérer une seconde qu'elle saura le diriger ? Là où Léopold veut qu'il s'impose, Wolfgang ne souhaite que composer. En toute liberté.

Ce tête-à-tête avec sa mère, le premier de toute leur vie, aurait pu être l'occasion pour ces deux êtres de se trouver. On peut penser que, dans l'intimité des soirées passées à deux, dans les auberges et les relais de poste, la solitude partagée les aurait poussés à la conversation, et mieux encore à la confidence. Mais cette aubaine, ni l'un ni l'autre ne la saisira. Chaque journée de ce malheureux voyage apportera sa pierre de mésentente, de méfiance et de solitude. Ils ne peuvent pas renouer des liens qui n'ont sans doute jamais existé. Il est trop tard. Mozart a vingt-deux ans, il a l'esprit et le corps agité par sa musique, et par les premiers frémissements de liberté.

À Salzbourg, la veille du départ, l'idée de voler vers Paris de ses propres ailes l'enfièvre. Contraint d'accepter la compagnie d'Anna-Maria il le fait à contrecœur, mais, très vite, il ne pense plus qu'à sa nouvelle situation : ça y est, il s'est libéré de la coupe de Colloredo et de l'étouffement de sa cour. Il s'est enfin affranchi de cette condition de domestique dans laquelle il s'étiolait depuis cinq ans déjà. Son passé d'enfant prodige et l'accueil miraculeux que lui ont réservé, dès sa tendre enfance, toutes les cours d'Europe le rassurent sur son avenir. Le monde l'attend.

Et malgré les appréhensions de son père, il jubile. Il va, pour la première fois de sa vie, décider seul. Être maître de ses actes. Comment pourrait-il, lui, si jeune, si ardent, prendre conscience du prix que Léopold doit payer pour ce voyage ? L'argent, tout d'abord, qu'il faut réunir à grand-peine, quitte à emprunter aux bons amis. Une préoccupation que Mozart n'a encore jamais eu à affronter, et qui reste le cadet de ses soucis. Le prix psychologique ensuite pour un père qui n'a pas préparé Wolfgang à l'apprentissage de la liberté. Pendant vingt ans, Léopold s'est battu pour cultiver le génie musical de son fils. Depuis cinq ans il se démène pour l'établir, pour lui assurer une sécurité financière qui lui permettra de s'imposer pour ce qu'il est : le plus grand musicien de tous les temps. Mais il n'est pas parvenu à lui inculquer les qualités indispensables pour s'intégrer à la cour : la soumission, la flatterie, l'obstination, le calcul. Ce qui fera écrire à Grimm, de Paris : « Il est trop candide, peu actif, trop aisé à attraper *[à berner]*, trop peu occupé des moyens qui peuvent conduire à la fortune. Ici, pour percer, il faut être retors, entreprenant, audacieux. Je lui voudrais, pour la fortune, la moitié moins de talent et le double plus d'entregent, et je n'en serais pas embarrassé. »

On mesure combien Léopold doit pester de n'avoir pas les moyens de se passer du salaire versé par Colloredo. On devine combien son cœur doit trembler à l'idée de ce voyage.

*
**

Pourtant, en ce 23 septembre 1777, c'est le cœur de Wolfgang qui palpite quand, avec Anna-Maria, il s'embarque pour la grande aventure ! Première étape : Munich. Dernière étape Paris, via Augsbourg, le berceau familial, et Mannheim. Paris qui l'a si bien accueilli, choyé, adoré quand il avait six ans !

Il est alors à mille lieues de penser que tous ses espoirs s'écrouleront dans cette petite chambre de la rue du Croissant où mourra sa mère. Il ignore encore combien ce voyage sera terrible pour lui, et décisif pour son avenir.

Non, lorsque Mozart quitte Salzbourg comme l'on s'évade d'une prison, il ne sait pas encore qu'il roule à la rencontre du plaisir et de la passion, mais aussi au-devant du désespoir, de la mort et, ce qui est pire sans doute pour lui, de l'indifférence du monde à son génie.

– 2 –

PREMIÈRES AMOURS
AVEC LA COUSINETTE

« C'est vrai que nous allons très bien ensemble... »

Regardons-les, Nannerl et Léopold, sur le pas de leur porte, les larmes aux yeux. Tentant désespérément d'apercevoir encore un instant la voiture qui emporte Anna-Maria en larmes, et Wolfgang exubérant.

C'est pour Nannerl, la grande sœur, que le choc de la séparation est le plus terrible. Toute la matinée elle est malade, elle vomit, traîne dans la maison comme une âme en peine, et hoquette dans les bras de Léopold impuissant à la consoler. Mozart, ses frasques, ses plaisanteries, ses magistrales improvisations sont devenues, pour elle, le tempo de la maison. Elle aime son frère sans l'ombre d'une jalousie. Depuis longtemps elle a accepté que l'éclat de son génie, de sa personnalité lumineuse, éclipse son propre talent. Le temps n'a fait qu'aggraver cette différence : Nannerl a quatre ans de plus que Wolfgang. Elle a vieilli avant lui. Grandi avant lui. Cessé d'émerveiller avant lui. D'autant que, si elle peut presque l'égaler au clavecin, elle n'a aucune disposition pour la composition. Au sortir de l'adolescence, son itinéraire est déjà décidé : elle va s'installer à Salzbourg, donner des leçons de piano et attendre, entre son père et sa mère, qu'un parti (choisi ou approuvé par Léopold) se présente.

Comme pour Anna-Maria la voix de Nannerl, dans la partition sentimentale de Mozart, s'amenuise de plus en plus au fil des années. Ce n'est ni en voyage, ni lors de leurs exhibitions qu'elle s'épanouit mais à Salzbourg, entre son père, sa mère et son frère. Là où, justement, Wolfgang est malheureux. Ils ne peuvent plus se comprendre.

Pauvre Nannerl qui voit s'éloigner un peu de son bonheur avec cette voiture qui lui enlève aussi une mère à laquelle elle est viscéralement attachée. Depuis longtemps maintenant Léopold ne se préoccupe plus que de l'avenir de son fils. On imagine sans peine la complicité de ces deux femmes, repliées sur leur quotidien, cousant au coin du feu ou sur le balcon, échangeant les nouvelles de la ville, de la guerre. Relatant le mariage de l'un ou la disparition de l'autre pendant que Wolfgang compose.

La volumineuse correspondance échangée entre les deux couples pendant cette séparation témoigne du chassé-croisé des dialogues. Anna-Maria parle couture, décrit les modes et les mœurs des étrangères à sa fille,

Wolfgang raconte ses démarches et son travail à son père.

Sa mère partie, Nannerl se métamorphose en gouvernante auprès de Léopold. Veillant tendrement sur ses repas et son confort, et jalousement sur l'entretien de la maison ; jouant au piquet, pratiquant chaque semaine, avec leurs amis, ces séances de tir qu'ils se plaisent à raconter en détail.

En fait, Léopold et Nannerl tuent le temps en attendant le retour de l'enfant prodige et celui d'Anna-Maria. Ils espèrent des jours entiers le passage du courrier, lisent ensemble les lettres auxquelles ils répondent de conserve. Il est évident que pour Nannerl, toujours jeune fille à vingt-six ans, le bonheur se chante à quatre voix !

« Ce qui m'attriste parfois, c'est de ne plus t'entendre jouer de piano ou de violon. Chaque fois que je rentre à la maison, je suis prise d'une légère mélancolie, car, lorsque je m'en approche, je m'attends toujours à t'entendre jouer du violon. »

Pour Nannerl, Wolfgang est bien plus qu'un frère. Il est son écho. Son compagnon de fortune. Au cours de leur étrange enfance, lorsqu'ils étaient seuls, lâchés sur la scène des adultes, loin des autres enfants rencontrés trop brièvement au cours de leurs voyages et loin de l'école – à laquelle Léopold suppléait –, c'est auprès de ce petit garçon drôle et facétieux, mais si grave dès qu'il s'agissait de musique, que Nannerl trouvait quelque réconfort. C'est ensemble qu'ils s'amusaient à se répondre d'un clavier l'autre, à chanter, à jouer, lui au violon, elle au clavecin.

De cette enfance errante et consacrée au travail, Nannerl a sans doute plus souffert que Wolfgang. La musique était tout pour lui. Pas pour elle. Les souvenirs de ces jeunes années sont précis mais lointains. Il s'y mêle confusément le frisson de la découverte, l'inconfort des voitures, des auberges, l'éblouissement des présentations à la cour, les applaudissements, les baisers de ces dames poudrées et couvertes de bijoux. Elle se rappelle son bonheur et celui de son père, à Calais, devant la mer. « Elle s'avance et se retire », avait-elle noté très sérieusement sur son carnet.

Aujourd'hui, pour elle, l'aventure est terminée. S'ils ont un temps – magnifique – emprunté ensemble le chemin tortueux de la gloire, Wolfgang vient de la déposer sur le bord de la route et il est reparti seul, une joie bouillonnante au cœur.

« Nous vivons comme des princes, écrit-il le soir de la première étape. J'espère que papa se porte bien et est aussi gai que moi. Je m'habitue bien à la situation et suis un autre papa. »

D'emblée il annonce la couleur. Il peut se passer de son père et il a bien l'intention de prendre sa destinée en main. Anna-Maria n'est ni assez perspicace pour apprécier ses projets, ni assez autoritaire pour exiger qu'il exécute les ordres de Léopold.

Il exulte tant qu'il fanfaronne. Ce soir-là, à l'auberge, un valet « frappe à la porte pour poser toutes sortes de questions », il y répond « avec le plus grand sérieux, comme sur son portrait ».

Le lendemain, son euphorie s'épanouit : chaque tour de roue qui l'éloigne de Salzbourg l'emplit de bonheur. Pendant des mois et des mois il s'est battu avec Colloredo pour obtenir ce congé. Il a plié sous le joug et puis, enfin, il a démissionné ! Adieu la livrée de domestique ! Adieu les génuflexions et autres singeries ! Il va pouvoir composer librement, éclabousser de son talent les cours princières qui se l'arracheront.

« Je suis toujours dans ma plus excellente humeur. Mon cœur est aussi léger qu'une plume, depuis que je suis hors des chicanes. J'ai même déjà engraissé », écrit-il le jour suivant, malgré la fatigue du voyage.

Ils sont partis depuis quarante-huit heures et viennent d'arriver à Munich lorsque Wolfgang décide de prendre pension chez l'aubergiste Albert, réputé pour le bon accueil qu'il réserve aux musiciens. Plein d'allant, il délègue à Anna-Maria le soin de défaire les bagages et court frapper aux portes.

Jusque-là, son ambition est toujours d'obtenir exactement ce que souhaite son père pour lui : un poste auprès du prince électeur, Maximilien III, qui lui a demandé, trois ans auparavant, de composer *La Finta Giardiniera* et qui lui a réservé, somme toute, un excellent accueil pour le carnaval de 1775. Mozart fait jouer ses recommandations, ses relations, et obtient enfin une entrevue dont nous avons, grâce à une lettre adressée à Léopold, la plus fidèle relation.

« Ainsi, vous avez complètement quitté Salzbourg ?

– Complètement oui, Votre Altesse Électorale.

– Et pourquoi donc ? Vous ne vous entendiez pas ?

– Ma foi, Votre Altesse, j'ai seulement demandé à faire un voyage. Il me l'a refusé. En conséquence, j'ai été contraint de faire ce pas décisif ; il y a longtemps du reste que je pensais m'en aller, étant donné que, très réellement, Salzbourg n'est pas un endroit pour moi !

– Mon Dieu, quel jeune homme ! Mais votre père est bien encore à Salzbourg ?

– Oui, Votre Altesse, et il vous salue très humblement. J'ai déjà été trois fois en Italie ; j'ai écrit trois opéras. Je suis membre de l'académie de Bologne, et pour y entrer j'ai dû passer un examen où souvent bien des maestros peinent et suent pendant quatre ou cinq heures ; pour ma part, j'avais terminé en une heure. C'est un témoignage de mes capacités qui font que je ne puis servir dans n'importe quelle cour. Mon seul désir serait de servir Votre Altesse Électorale, qui est du reste elle-même un grand...

– Oui, mon enfant, mais il n'y a aucune vacance... Je suis désolé... Si seulement il y avait une vacance !

– Je puis assurer à Votre Altesse que je ferais honneur à Munich.

– Oui, mais cela n'avance à rien. Il n'y a vraiment pas de vacance ! »

Le ton est catégorique. Contrairement à ce que pense Wolfgang, ce « Mon Dieu quel jeune homme ! » lancé par Maximilien n'a rien de très flatteur. Pour Mozart, Maximilien est un prince, certes, mais un prince mélomane. Et s'il est mélomane, il peut le comprendre, lui parler d'égal à égal, lui ouvrir son cœur. Ce que Wolfgang n'a pas perçu, ni Léopold d'ailleurs, pourtant rompu aux intrigues de la cour, c'est qu'aucun prince voisin de Colloredo n'acceptera d'offrir un poste à Mozart. Aucun ne prendra le risque de compromettre ses relations avec un homme aussi influent. Retors, Colloredo s'est d'ailleurs arrangé pour tourner la démission de Wolfgang à son avantage, la faisant passer pour un renvoi. La manœuvre est habile et fonctionne à la perfection : aux yeux du monde Wolfgang est un musicien congédié, donc déchu.

Mais il est une autre raison, plus profonde, plus viscérale, qui pousse Maximilien à opposer une fin de non-recevoir aux offres de services de Wolfgang : c'est la conscience de classe. Mozart est un homme du peuple et le prince un aristocrate, comme Colloredo. Au siècle de l'absolutisme, Maximilien aurait dérogé à sa classe en accueillant un domestique en rupture de ban, fût-il Mozart.

Candide, Wolfgang prend pour argent comptant la réponse du prince, remercie et n'insiste pas. La rebuffade n'entame en rien sa bonne humeur, Munich lui plaît, ses amis musiciens l'enchantent, alors il échafaude un plan extravagant pour s'y installer et y écrire des opéras. Dix Munichois, et à leur tête l'aubergiste, « le savant Albert », lui verseraient même une rente annuelle.

Parle-t-il de son projet à sa mère ? Probablement et sans doute aussi de façon suffisamment sibylline pour qu'elle n'y entende rien. Sans saisir la portée de cette démarche, elle l'entérine en post-scriptum d'une lettre qui plonge Léopold dans un effroi incommensurable.

Comment ! Il se serait gravement endetté pour que son fils mette en péril son renom et son avenir en s'installant avec une bande de joyeux drilles ? Ce voyage, doit-il le lui rappeler, il l'a entrepris pour obtenir un poste de musicien à la cour, un emploi sûr, sécurisant, et bien rémunéré !

Mais là où Léopold s'arrache les cheveux, Wolfgang rêve : « Si j'étais seul, il ne me serait pas impossible de me tirer d'affaire. Je n'aurais pas à me préoccuper de ma nourriture, car je serais toujours invité, et quand je ne le serais pas, Albert se ferait un plaisir de m'avoir à sa table. Je mange peu, je bois de l'eau, et seulement au dessert un petit verre de vin. Je voudrais faire ainsi un contrat avec le comte Seeau : livrer chaque année quatre opéras allemands, les uns bouffes, les autres seria. Pour chacun d'eux j'aurais une soirée-recette à mon bénéfice, suivant l'usage d'ici. (...) Je suis très aimé ici. Et combien serais-je davantage encore aimé si je participais au relèvement du théâtre national allemand pour la musique ! Et cela arriverait certainement, car dès que j'ai entendu le *Singspiel* allemand, je me suis senti rempli de l'ardent désir de composer. »

Voilà. Wolfgang est parti depuis une dizaine de jours à peine, et déjà la divergence de vues avec son père éclate ! Une position officielle de musicien (donc de domestique) attaché à une cour princière ne l'intéresse pas. Ce qu'il veut c'est écrire un opéra, pas une quelconque musique de commande.

Depuis longtemps, cette envie le tenaille secrètement. Souvent, dans ses lettres à Nannerl ou à son père, il fait part de cette attente. Là, à Munich, il précise son projet : « Ils voudraient bien pouvoir donner bientôt un opéra-seria allemand, et l'on souhaite que ce soit moi qui le compose. » Il est impossible de mettre en doute la véracité de ce désir, son exigence. C'est parce qu'il ne pouvait composer librement à Salzbourg qu'il en est parti. Aujourd'hui, il espère bien pouvoir jouir de cette indépendance toute neuve. Et il s'interroge sur les moyens de la préserver.

Le premier de ces moyens, c'est le départ d'Anna-Maria. « Si j'étais seul... », entonne-t-il.

Il ne peut chanter plus longtemps. La réponse de Léopold est immédiate. Cinglante. Il en appelle à l'honneur de son fils, à son orgueil de musicien. « Il ne faut pas se faire si petit et si humble, c'est évident. »

L'argument est irréfutable. Mozart n'en prend pas ombrage. Puisqu'il n'y a rien à attendre de Maximilien III, il consent à quitter Munich pour Mannheim, via Augsbourg, ville natale de son père et berceau de la famille. Somme toute, ce départ ne le consterne pas. Il croit toujours aussi fermement en son avenir et reprend la route d'un cœur léger. Chez Albert, il fait ses adieux à ses bons amis.

« Et moi, écrit Anna-Maria, je transpire au point que la sueur me ruisselle sur le visage, à cause de tout le mal que je me donne à faire les bagages. Au diable les voyages, j'ai l'impression que les pieds me sortent par la bouche, tant je suis fatiguée. »

Déjà Anna-Maria en a assez des pérégrinations de son cher fils. Assez des chambres malpropres, de sa solitude. Dès le début de cette épopée, elle fait figure de victime. Mozart ne s'occupe pas d'elle : « Je suis seule à la maison, comme la plupart du temps, par un froid si terrible que même lorsqu'on fait un petit feu, dès qu'il s'est éteint, la chambre est de nouveau aussi froide qu'auparavant. Et on ne chauffe jamais la nuit. »

Elle a froid, elle mange mal, souffre de migraines ou de maux de dents. Wolfgang l'abandonne, la traîne comme un fardeau : « Ce soir, à l'opéra, maman était au parterre, elle est entrée dans la salle dès quatre heures et demie pour s'assurer d'une place. Moi je n'y suis allé qu'à six heures et demie, car je puis avoir accès à toutes les loges : je suis assez connu ! »

Bref, elle veut rentrer, mais Léopold est sourd à ses supplications. Alors elle reste, et Wolfgang peste. Pis, Léopold tient sa femme pour responsable des dépenses exorbitantes du voyage, des échecs qu'ils rencontrent dans leurs démarches. Il exige des comptes précis et des rapports circonstanciés. Comment les fournirait-elle ? Wolfgang la tient en marge de sa vie, avec une cruauté et une désinvolture inconscientes : il est jeune, il a envie de croquer à pleines dents dans cette liberté toute neuve. Au diable les contraintes !

Seulement, en exigeant de sa femme qu'elle surveille Wolfgang, qu'elle l'espionne, qu'elle devienne son œil et son oreille, Léopold casse le dernier fil qui la lie encore à son fils : celui du soutien tendre et compréhensif qu'elle aurait pu lui accorder. Wolfgang va apprendre à se méfier d'elle. Quand ses projets seront contrariés, quand son père mettra le holà à ses rêves d'amour, c'est elle qu'il tiendra pour responsable. Et quand Léopold décidera du départ de sa femme pour Paris, il plongera tout le monde dans la consternation. Anna-Maria, soumise, fidèle et résignée, mais épuisée, déprimée, cassée, sera désespérée ; et les pleurs de Nannerl, qui attend vainement son retour, n'y pourront rien changer.

*
**

Mais, en ce 11 octobre 1777, les relations entre Anna-Maria et son fils n'en sont pas encore là. Sur la route d'Augsbourg, la bonne humeur de Wolfgang est communicative. Pendant les heures de trajet, il converse et plaisante avec sa mère sur le seul terrain qui leur soit encore commun : le calembour scatologique. L'un et l'autre sont inépuisables sur le sujet. D'ailleurs, la famille tout entière semble participer à ces variations autour du transit intestinal. Jusqu'à Nannerl qui écrit, en parlant de sa chienne : « La sage Pimperl va bien, continue à manger, boire, dormir, chier et péter. »

Des heures durant, Wolfgang est capable d'assembler des mots, des formules, des exclamations sur ce simple thème. Et il est significatif de noter que l'unique lettre qu'il ait jamais écrite à sa mère fut un poème scatologique :

« Madame Mère !
J'aime bien le beurre
Nous sommes, Dieu merci,
En bonne santé et pas malades.
Nous parcourons le monde
Mais n'avons guère d'argent.
Nous sommes toutefois fort gais,
Et personne n'est engorgé.
Je suis chez des gens,
Qui ont la crotte au ventre,
Mais qui la laissent sortir
Tant avant qu'après bombance.
On pète toujours la nuit,
Bravement, et que cela craque.
Mais hier, le roi des pets,
Dont les pets sentent le miel,
N'était guère en voix,
Et était lui-même en courroux.
Il y a déjà huit jours que nous sommes partis,
Et nous avons déjà chié bien souvent.
Monsieur Wendling sera bien fâché
Que je n'aie presque rien écrit.
Mais lorsque nous passerons le pont du Rhin,
Je rentrerai, c'est certain. (...)
Nous n'offensons pas Dieu avec notre crotte,
Surtout pas si nous mordons dedans. (...)
Lundi j'aurai l'honneur, sans trop de questions,

de vous embrasser et de vous baiser les mains.
Mais avant, j'aurai fait dans ma culotte.
Votre enfant fidèle qui a la teigne : Trazom. »

De là à imaginer que Mozart (dit Trazom en verlan, qu'il avait inventé avant tout le monde) ait écrit ces vers à six ou sept ans... Mais non. Il en a vingt et un et n'est qu'à l'aube de cet art particulier.

C'est avec sa petite cousine, Anna-Maria Thekla Mozart, dite la Bäsle (la cousinette), que Wolfgang se livre sans limite aucune à ces débordements. Elle a dix-neuf ans, il est de deux ans son aîné. Ils font connaissance à Augsbourg, deuxième étape après Munich. Fille de Franz-Aloïs Mozart, imprimeur et frère de Léopold, elle est, avec le facteur de piano Stein, le seul rayon de soleil qui réchauffe Mozart en cette ville.

De fait, la réception des Augsbourgeois est glaciale, pis : grossière. On se moque de la décoration offerte par le pape (la croix de chevalier de l'Éperon d'or) que son père lui a demandé d'arborer. On n'entend rien à sa musique. On le raille. C'en est trop ; au cours d'un dîner, Mozart dit son fait à ces notables uniquement préoccupés de commerce. L'humour et la causticité de Wolfgang sont fulgurants. Pour la première fois cette insolence qu'il ne cessera plus de manifester perce sous ses actes, sous ses paroles. Son talent est son bon droit. La musique sa légitimité. Il ne se soumettra plus.

Écoutons-le relater l'incident : « Il y avait là M. le fils, bouffi d'orgueil, l'aimable jeune dame au long cou, et la niaise vieille dame... Et un certain Graf, compositeur augsbourgeois : il avait une robe de chambre que je n'aurais absolument pas honte de porter dans la rue. Toutes ses paroles sont montées sur des échasses ; en général, il ouvre la bouche avant même qu'il sache de quoi il est question, et parfois la referme de même sans avoir eu rien à dire. »

Le 17 octobre au soir, ulcéré par la muflerie de ses hôtes, il quitte un dîner l'épée et le chapeau à la main pour lancer sur le pas de la porte (ah ! quelle délectation) : « Cela s'appelle se moquer du monde, couler les gens. Je regrette bien d'être venu ici ! De ma vie, je n'aurais cru qu'à Augsbourg, ville natale de mon père, on ferait à son fils un tel affront ! »

Un affront dont il se console fort bien auprès de la cousinette. Entre eux, c'est le coup de foudre sans l'amour. Une complicité pleine de sensualité, truffée de plaisanteries scabreuses, de clins d'œil. Avec elle Wolfgang laisse éclater son appétit de vivre, ses facéties, et un certain aspect de son éros dont il trahit, pour la première fois, la nature. Sa relation avec la « Bäsle » révèle, comme un miroir grossissant, une sensualité à fleur de peau, truculente et joyeuse. Elle révèle aussi que dans l'esprit de Mozart, du moins jusqu'à ce jour, l'instinct sexuel, le plaisir des sens est parfaitement étranger au sentiment amoureux. Avec Aloysia, qu'il rencontrera quelques mois plus tard, il en ira tout autrement.

Wolfgang, face à sa première passion, se conduira en amoureux transi, admiratif, ébloui, usant dans ses lettres d'un style ampoulé, bien loin de la plus légère plaisanterie.

Avec la Bäsle, tout se passe au-dessous de la ceinture : « Je pourrais vous complimenter dans votre propre noble personne, vous sceller personnellement le cul, vous baiser les mains, vous embrasser, vous administrer devant et derrière un clystère à ma façon, vous payer par le menu tout ce que je vous dois. »

Ce déluge de mots, de détails, de précisions scabreuses rend bien vaine la question de savoir où, quand et avec qui Wolfgang a perdu sa virginité. Ce dont on est sûr, c'est que depuis son enfance il éprouve un plaisir évident au contact des femmes. Pour lui, elles sont toutes de lèvres et de tendresses. Déjà ce petit bonhomme en miniature, cet enfant virtuose, affectueux et drôle, savait les séduire. La variole n'avait pas encore grêlé sa peau et dans toutes les cours d'Europe il sautait de genoux en genoux, se laissait caresser, embrasser. Il frottait son petit visage contre les décolletés pigeonnants, les robes de soie, et s'enivrait de leurs parfums. Il avait six ans lors du premier voyage familial à Vienne, en octobre 1762, quand la comtesse von Zinzendorf se toqua de lui et se dépensa sans compter pour l'introduire auprès de la cour.

L'impératrice Marie-Thérèse l'avait reçu, et Léopold s'en était ému : « Le Wolferl a sauté sur les genoux de l'Impératrice, lui a mis les bras autour du cou et l'a bravement embrassée », écrivit-il rayonnant d'orgueil.

Ce n'était qu'un début.

Quelques jours plus tard, à Schönbrunn, il glissa et tomba sur un parquet ciré. Il s'était fait mal et sanglota si violemment qu'une petite fille se précipita et l'aida à se relever, le prit dans ses bras et le consola. Elle avait sept ans. Elle s'appelait Marie-Antoinette. Elle était archiduchesse et ravissante. Wolfgang, en se relevant, ne vit que cet éblouissant visage de porcelaine qui se penchait sur lui et déclara :

— Vous êtes bien gentille et, quand je serai grand, je vous épouserai.

Comment résister ? L'impératrice Marie-Thérèse, séduite et amusée, lui demanda la raison de cette grave prise de décision.

— Pour la récompenser, car elle a été très bonne avec moi ! répondit Mozart.

Chez les Thurn und Taxis, mademoiselle von Gudenius l'embrassa à pleine bouche et il s'essuya les lèvres. À la cour de Prusse, la princesse Amélie couvrit « maître Wolfgang » de baisers.

À Paris enfin, en 1763, les nobles dames se laissèrent aller aux mêmes tendres effusions. « La Dauphine et les filles du roi embrassent un nombre incalculable de fois les enfants... » s'émerveilla Léopold, d'autant qu'avec elles Wolfgang agissait comme un petit diable et prenait toutes les libertés. Si son père trouva les Parisiennes « aussi artificielles et peintes que les poupées de Berchtesgaden, et à cause de ces vilaines mignardises insupportables aux yeux d'un honnête Allemand », aux yeux de Wolfgang elles apparaissaient belles, bruissantes, rieuses, douces comme des papillons. (Et l'on pense au formidable contraste qu'elles devaient présenter avec Anna-Maria.) À certaines, comme la comtesse de Tessé, il dédiera même, tel un petit homme, ses sonates pour clavecin.

La légende veut qu'il y en eut une à laquelle Wolfgang n'aurait pas eu l'heur de plaire : « Madame de Pompadour est encore une fort belle personne. Elle a dans le visage et surtout dans les yeux quelque chose d'une impératrice romaine. Elle est pleine d'orgueil et c'est elle qui régente tout ici », jugea Léopold à la fin du mois de décembre 1763.

En fait, la marquise de Pompadour ne régentait rien. Tolérée par la famille royale mais détestée par la cour, elle était en butte à de nombreuses cabales. Le jugement quelque peu critique de Léopold s'explique probablement par l'anecdote que relatera plus tard Nissen, le deuxième mari de Constance.

« La première fois que Wolfgang a joué devant la marquise de Pompadour, le petit garçon, spontanément, et comme il le faisait toujours, s'apprêtait à l'embrasser. Celle-ci eut un geste pour l'en empêcher et Wolfgang, froissé, dit alors : "Qui est-elle pour refuser de m'embrasser ? L'impératrice m'a bien embrassé, elle !" »

Et l'on s'interroge. Comment cette femme si intelligente, cette amie des arts et des lettres qui protégea Voltaire, Fontenelle et Crébillon, qui fit aménager, pour aider les artistes, ses nombreuses résidences, comment aurait-elle pu rester aussi insensible à ce délicieux et prodigieux petit musicien ? Mais l'anecdote prend une tout autre signification si l'on considère les circonstances de l'événement.

En ces derniers jours de décembre 1763, la marquise était au bord de la tombe. Crachant le sang, livide sous les fards de l'illusion, elle allait mourir quelques semaines plus tard par une triste nuit de pluie et de grand vent... En repoussant doucement l'enfant, ne voulait-elle pas le protéger, éloigner tout simplement de cette jeune vie l'ombre de la mort ?

N'est-ce point elle, d'ailleurs, qui intervint auprès du roi pour faire inviter toute la famille à Versailles, au « grand couvert » du 1er janvier 1764 ? Comble d'honneur, Wolfgang fut placé au côté de la reine « pour lui parler constamment, l'amuser, lui embrasser les mains et manger toutes les friandises qu'elle lui passait avec bienveillance ».

Des délices de ces étreintes, Wolfgang ne se déshabituera plus jamais. Dans toutes ses lettres il envoie des baisers sur les joues, sur les mains, par milliers, par millions. Et jusqu'à ce qu'il rencontre la Bäsle, les flirts ne manquent pas. Wolfgang tombe facilement amoureux. À Salzbourg, on lui connaît la fille du docteur Barisani, Barbara von Mölk ; et d'autres encore, qu'il évoque, entre les lignes, dans sa correspondance avec Nannerl, avec force allusions secrètes.

Secrètes, vraiment ? Alors que son fils lutine goulû-
ment sa cousinette, Léopold écrit à sa femme sur un
ton enjoué :

« Dis à Wolfgang que la fille du boulanger, celle aux
grands yeux (Maria Ottilie Feyerl), qui a dansé avec lui
au Stern et lui a souvent fait des compliments si amicaux, puis qui est finalement entrée au cloître de
Lorette, est retournée chez son père. Elle a entendu
dire que Wolfgang voulait quitter Salzbourg et a cru
pouvoir le voir et le retenir. Il conviendra donc que
Wolfgang ait la bonté de rembourser à son père les
frais engagés pour les fastes et les préparatifs de son
entrée au couvent. »

Ce à quoi Mozart, sur le même ton taquin, répond,
par retour de courrier : « Je n'ai rien à objecter à l'histoire de la fille du boulanger. J'avais prévu cela il y a
longtemps. C'est la raison pour laquelle j'ai si longtemps hésité à partir, et c'est pourquoi cela m'a été si
dur. J'espère que cette affaire n'a pas déjà fait le tour
de Salzbourg ? Je prie instamment papa de la camoufler
le plus longtemps possible et, pour la grâce de Dieu,
de rembourser de ma part, en attendant que je revienne
à Salzbourg, les frais que son père a engagés pour son
entrée au couvent. » Et d'ajouter, allusion coquine on
s'en doute : « Je pourrais rendre malade la pauvre fille,
tout naturellement et sans sorcellerie, pour la guérir
ensuite et la restituer complètement à la vie monas-
tique. »

On le voit, la Bäsle n'est pas la première avec qui il
joue aux jeux interdits. Mais avec elle, il a trouvé son

double : le même plaisir à la plaisanterie grasse. Le même dévergondage : « Si je n'avais pas ici de si braves oncle et tante, et une si gentille cousine, j'aurais autant de regrets d'être venu à Salzbourg que de cheveux sur la tête. Maintenant, je me dois d'écrire quelque chose au sujet de ma chère petite cousine. Mais je me réserve pour demain, car il faut que je sois tout à fait gai pour chanter ses louanges, comme elle le mérite... Le 17 au matin, j'affirme donc que notre petite cousine est belle, raisonnable, gentille, habile et gaie ; et cela vient de ce qu'elle s'est mêlée au monde, elle a même été quelque temps à Munich. C'est vrai, nous allons bien ensemble, car elle est aussi un peu coquine. Nous nous moquons des gens ensemble, et c'est très amusant. »

Coquine, sans aucun doute. La Bäsle avait déjà largement défrayé la chronique de Salzbourg et Mozart n'était pas le seul avec qui elle pratiquait le mystérieux « *spunicuni* », comme il l'évoque, sans jalousie aucune, dans l'une de ses lettres de Mannheim. Bien des années plus tard, elle affichera une conduite licencieuse dont elle récoltera le fruit : un fils illégitime, que les mauvaises langues attribueront à un ecclésiastique. Plus tard encore, elle finira par se ranger en devenant la concubine du directeur des postes de Bayreuth, où elle mourra le 25 janvier 1841.

En attendant, pendant les quelques jours passés à Salzbourg, Wolfgang et sa cousinette se partagent les joies de la chair et les plaisirs d'un libertinage sans honte et sans remords. Sans douleur à l'âme non plus. Il semble que leurs jeux du corps ne représentent rien de plus, pour l'un comme pour l'autre, qu'une délicieuse gymnastique. Il la trouve jolie. Le portrait qui la représente, œuvre anonyme, et qu'elle adressa à Wolfgang à sa demande, ne nous permet pas d'abonder dans ce sens. Comparée au buste, la tête est disproportionnée. Les traits manquent de finesse. Son expression ne reflète pas la grande intelligence que vante son espiègle cousin. Mais ils sont tous les deux sur la même vibration. Et la cousinette stimule la verve de Wolfgang.

« Vous allez peut-être croire ou penser que je suis mort ? ! Que je suis crevé ? crevé ? Mais non ! N'en croyez rien, je vous prie ; car croire et chier, cela fait deux ! Comment pourrais-je écrire si joliment si j'étais défunt ? Comment serait-ce possible ? Je ne veux même pas chercher d'excuse à mon long silence, vous n'en croiriez pas un mot ; pourtant ce qui est vrai reste vrai ! J'ai eu tant à faire que j'avais toujours le temps de penser à ma cousine, mais non de lui écrire, si bien que j'ai dû y renoncer. Mais à présent j'ai l'honneur de vous demander comment vous vous portez et comportez ? Si votre ventre est toujours bien libre ? Si par hasard vous n'avez pas la teigne ? Si vous pouvez encore me souffrir un peu ? Si vous écrivez plus souvent au crayon ? Si vous pensez à moi de temps en temps ? Si parfois vous n'avez pas envie de vous pendre ? Si par hasard vous êtes fâchée contre moi, pauvre fou ? Si vous ne voulez pas de bonne grâce faire la paix, sur mon honneur je lâche un pet ! Mais vous niez ? Victoire, nos culs doivent être l'emblème de la paix ! Je pensais bien que vous ne pourriez pas me résister bien longtemps... »

Des lettres comme celles-ci, il lui en enverra une bonne dizaine jusqu'en avril 1780. Mais les derniers textes, s'ils demeurent toujours drôles et fous, ne portent plus ces termes crus qui ont tant contrarié les biographes du « divin Mozart ». Au point que Constance, sa veuve, écrira le 28 août 1799 aux éditions Breitkopf & Hartel : « Voici les lettres à sa cousine. De mauvais goût sans doute, mais tout de même très spirituelles, elles méritent d'être mentionnées mais non publiées intégralement. »

Était-ce aussi ce que pensait Stefan Zweig ? En possession de la majeure partie des originaux de ces billets adressés à la Bäsle, il en avait envoyé une copie à Sigmund Freud accompagnée de ces quelques lignes : « Vous, qui êtes un familier des sommets et des abîmes, ne jugerez pas tout à fait superflue, je l'espère, la copie confidentielle ci-jointe, que je transmets à un cercle restreint d'intimes. Ces lettres jettent un jour psychologiquement très particulier sur son érotisme qui révèle, plus nettement que chez tout autre grand homme, une tendance à l'infantilisme et une passion pour la scatologie. »

Infantilisme, sans aucun doute. Mozart agit souvent comme un gamin. Son humour, sa façon de pasticher les habitudes de son père, les manières de son entourage, ses frasques, son rire brusque et fou ressemblaient plus à ceux d'un enfant qu'à ceux d'un homme. Mais en revanche, ne faut-il pas tempérer l'avis de Stefan

Zweig sur la scatologie de Mozart, en tant que perversion d'un grand esprit ? On l'a vu, les fonctions intestinales occupaient souvent le centre des conversations familiales. Mais les Mozart n'en ont pas le monopole absolu. Au XVIIIe siècle, on n'use pas d'euphémismes pour désigner les fonctions naturelles du corps, ni les organes qu'elles concernent. On « chie » souvent de conserve, pour ne pas rompre une conversation. Et la bonne santé, sujet de préoccupation permanent dans la correspondance de la famille, passe souvent par un bon transit. Anna-Maria mourra d'une dysenterie due à une fièvre typhoïde. Il en était ainsi chez les Mozart, et dans tout le peuple. Dans le peuple uniquement ? Certes non... La princesse Palatine, duchesse d'Orléans et mère du Régent, raconte dans ses Mémoires : « À la cour de Louis XIII, on représentait devant toutes les dames des ballets dont les rôles étaient remplis par les plus brillants seigneurs, et qui n'offraient que des plaisanteries d'une licence extrême, et des équivoques grossières. (...) Parcourez les œuvres de Scarron, le premier époux de la femme à laquelle Louis XIV unit sa destinée ; voyez les stances pour Mme de Hautefort, quel ton incroyable, quelles sales images dans des vers adressés, en manière de compliments, à des femmes de haut parage ! »

Et la duchesse d'Orléans d'écrire à l'électrice du Hanovre : « Vous êtes bien heureuse d'aller chier quand vous voulez ; chiez donc tout votre chien de soûl. Nous n'en sommes pas de même ici, je suis obligée de garder mon étron pour le soir... » (Suivent trois pages sur le sujet.)

Ce à quoi l'électrice de Hanovre, loin de s'en offusquer, répond à son tour, en ces termes : « C'est un plaisant raisonnement de merde que celui que vous faites sur le sujet de chier, et il paraît bien que vous ne connaissez guère les plaisirs, puisque vous ignorez celui qu'il y a à chier ; c'est le plus grand de vos malheurs. » (Suivent cinq pages sur le sujet.)

De toute évidence Wolfgang n'est pas très original en son siècle lorsqu'il évoque certaines parties anatomiques. Et ses « prout, crotte, crotte prout » dont il remplit des lignes entières ne semblent pas avoir particulièrement ému son entourage. Jusqu'à la petite bonne, Rosalia Joly, qui lui offre des vers de son cru :

« Wolfgang, mon cher ami, ch'est aujourd'hui ta fête,
C'est pourquoi je te souhaite, mon petit gars,
Tout ce que tu désires et ce que tu mérites.
Sois toujours joyeux, que la vermine ne te ronge pas,
Que la chance, qui t'a ici montré le râble,
Te soit, dans le lointain, doublement favorable.
Je l'espère de tout cœur, aussi vrai que je vis,
Si possible, que ces souhaits te sourient.
Dis à ta mère, que je vénère,
Que je l'aime toujours et la revoir espère.
Que son amitié soit présente,
Aussi longtemps qu'au cul elle aura une fente.
Portez-vous bien, chers amis, dans la joie et ce qui vous plaît,
Et faites de temps en temps un petit duo de pets. »

Faut-il apporter d'autres preuves ? Non pour « blanchir » Mozart, comme l'ont voulu les biographes du XIXᵉ siècle, mais pour tempérer l'effet de ces lettres en les replaçant dans leur contexte historique. Ce qui nous choque aujourd'hui n'est pas ce qui froissait nos arrière-grands-parents. D'ailleurs Wolfgang lui-même reconnaissait et revendiquait sa grossièreté. Il se plaisait à dire « je suis quelqu'un de vulgaire, mais ma musique ne l'est pas ».

Il serait par ailleurs fort dommage que les débordements scatologiques de sa correspondance avec la cousinette masquent un autre point de son caractère, nettement plus intéressant. Il s'agit de son extraordinaire tolérance, de son exceptionnelle mansuétude vis-à-vis des femmes et de leur éventuelle légèreté de mœurs.

En ce qui concerne la Bäsle, on peut objecter qu'il ne l'aimait pas, donc n'avait cure de ses batifolages. Rien n'est plus faux. Qu'il n'ait pas été amoureux d'elle comme il le sera d'Aloysia, cela va sans dire. Quand il la quitte pour aller à Mannheim il n'en ressent aucun chagrin, n'éprouve aucune espèce de vague à l'âme. Pourtant, la correspondance qu'il entretient avec elle trahit l'attachement qu'il lui portait. « Si vous aimez ce que j'aime, vous vous aimez donc vous-même », lui envoie-t-il en matière de poème.

Elle est aussi la première femme à laquelle il écrit. La cousinette ne lui était donc pas indifférente. Et c'est à elle qu'il demandera de l'accompagner à Munich où il doit retrouver Aloysia, le grand amour de sa vie, lors de son retour de Paris. Plus tard c'est toujours elle, fruste sans doute, inculte certainement, sourde et hermétique de toute évidence à la musique, qui saura pourtant le consoler...

Or, quand il est encore à ses côtés, à Augsbourg, il n'en exige jamais la moindre fidélité. Bien au contraire, son libertinage l'amuse. Il l'observe, mais ne la juge pas. Et il en sera toujours ainsi dans son itinéraire amoureux, jusqu'à son mariage avec Constance, jusqu'à son aventure avec Nancy Storace. Même s'il a peur des femmes infidèles, il ne les condamne pas. Un trait de caractère très moderne qui marquera les personnages de ses opéras, de *L'Enlèvement au sérail* à *Cosi fan tutte*, mais nous y reviendrons...

Ainsi, il écrit à l'occasion d'un dîner à Saint-Ulrich : « Un certain père Émilien, âne aux manières de la cour, un esprit niais dans sa profession, fut des plus cordiaux. Il voulait toujours badiner avec la cousinette, mais c'est elle qui s'amusait de lui. »

Lui « s'amuse » avec elle pendant vingt belles journées. Le 30 octobre, Anna-Maria refait les bagages. En route pour Mannheim, dernière cartouche à brûler avant Paris.

« Adieu, ma jeune cousine. Adieu mon aimable cousin.
Je vous souhaite bon voyage, beau temps, bonne santé.
Nous avons passé quinze jours joyeux,
C'est ce qui rend si tristes nos adieux.
Destin exécrable ! Ah ! Je vous vis à peine apparaître,
Et vous voilà déjà reparti ! »

« Qui pourrait ne pas pleurer ? » pastichent, en riant, Nannerl et Léopold.

*
* *

Ce sera le dernier départ joyeux. Mozart a les yeux secs et rien ne dit que la Bäsle, de son côté, ait laissé couler ses larmes.

Wolfgang vient de découvrir l'insouciance et le plaisir. Il va maintenant rencontrer le grand amour.

Et son destin va basculer...

LES FLIRTS DE MANNHEIM

> *« Je ne sais plus ce que je suis, ce que je fais,*
> *Tantôt je suis de feu, tantôt je suis de glace*
> *Chaque femme me fait changer de couleur,*
> *Chaque femme me fait palpiter. »*
> CHÉRUBIN, *Les Noces de Figaro.*

Mannheim, le 31 octobre 1777
Mon très cher époux, nous sommes tous deux bien arrivés ici, sains et saufs, hier 30 à 6 heures du soir. (...) Maintenant, Wolfgang vient d'aller chez le jeune M. Danner ; il est déjà marié et a un an de moins que mon fils. Le vieux M. Danner n'est pas ici, il rentre lundi prochain de la campagne ; entre-temps, son fils conduira Wolfgang à MM. Raaff et Cannabich.

Le périple d'Augsbourg à Mannheim a été éprouvant et interminable. Les pluies d'automne ont embourbé les chemins et inondé les ornières, que creusent encore les roues des attelages. Ces routes sinueuses au travers de la forêt bavaroise semblent autant de pièges et d'embûches pour la mère et le fils. En quelques heures, les sujets de conversation s'épuisent. La vanité de cette errance de ville à ville commence sans doute à frapper l'esprit pragmatique d'Anna-Maria. Mais elle se tait, le corps tout entier abandonné aux cahotements de la voiture. Elle observe longuement son fils, assis en face d'elle et qui regarde dehors ou qui somnole. Les mains serrées sur son sac matelassé, elle appréhende l'irruption de brigands, de quelques pauvres hères trop ravis de les délester des rares florins qui sont encore en leur possession. Le danger existe bien : dans toutes ses lettres, à l'annonce de chacun de leurs départs, Léopold leur conseille de ne pas économiser sur les frais d'un postillon. Quelle infortune si leur route venait à croiser celle d'un bandit !

Le ciel est bas et blanc, et la forêt a déjà perdu ses feuilles. Immobile sous une couverture, Anna-Maria frissonne. L'humidité transperce ses vêtements. Le premier soir, au relais de poste, elle tousse. Le lendemain, il faut s'arrêter dans une mauvaise auberge : elle est malade et tremble de fièvre.

Au terme des cinq jours que durera le voyage, toute la bonne humeur dont la mère et le fils se sont imprégnés à Augsbourg – entre oncle, tante et cousinette – s'est envolée.

Lorsque, le 31 octobre, la voiture franchit enfin les portes de Mannheim, Wolfgang pousse un soupir de délivrance. Les valises à peine posées, il abandonne Anna-Maria et court chez les musiciens de la ville pour se faire connaître. Cinq jours sans conversation, sans musique surtout, lui ont mis les nerfs à vif. Il brûle de nouer de nouvelles relations, d'entendre enfin le son d'un piano, d'un violon. Les lettres de recommandation qu'il a en sa possession le poussent chez M. Danner. L'homme a une réputation de bon cœur et de grand mélomane. Wolfgang ne doute pas qu'il sera bien reçu. Hélas, il lui faut refréner son impatience : son hôte est à la campagne et c'est son fils qui finit par le piloter, et qui va lui ouvrir les portes de tout ce que la ville compte de musiciens.

Déjà, ce premier contact lui laisse une impression mitigée. Échaudé sans doute par le double mauvais accueil de Munich et d'Augsbourg, Wolfgang se rebiffe.

« Je suis allé chez M. Cannabich avec M. Danner. Il a été extraordinairement aimable. Je lui ai joué quelque chose sur son pianoforte (qui est très bon) et nous sommes allés ensemble à la répétition. J'ai cru ne pas pouvoir m'empêcher de rire lorsqu'on m'a présenté aux gens. Quelques-uns, qui me connaissaient par renommée, étaient polis et pleins de respect. Mais d'autres, qui ne savaient rien de moi, pensent – parce que je suis petit et jeune – que rien de grand et de mûr ne peut être en moi ; mais ils en feront bientôt l'expérience. Demain, M. Cannabich me conduira lui-même au comte Savioli, intendant de la musique. Ce qu'il y a de mieux, c'est que la fête du prince électeur sera bientôt célébrée. »

Son espoir secret c'est d'y être convié, et de pouvoir jouer une œuvre de sa composition. Comment rêver une meilleure introduction à la cour ? Si le prince peut l'entendre exécuter l'une de ses œuvres, si simplement il l'écoute interpréter l'une de ses pièces au piano, à l'orgue ou au violon, il ne pourra plus que désirer s'attacher ses services. Wolfgang en est sûr. Qui, jusqu'alors, a pu résister à ses exercices de virtuose ? Qui lui refuserait ce poste de musicien officiel, dès lors qu'il capterait le ruissellement magique de ses improvisations ?

Comme il la désire, cette place ! C'est en partie pour plaire à Léopold, bien sûr, mais c'est aussi pour s'offrir le luxe d'un magistral pied de nez à Colloredo.

Car enfin, à côté de Salzbourg, de son auditoire étriqué et de ses moyens racornis, Mannheim, quelle ouverture ! Comment oser même comparer la cour du prince Karl Theodor, électeur du Palatinat, à celle de Colloredo ?

C'est à Mannheim en effet que s'est constitué le plus extraordinaire orchestre d'Europe. En 1743, Johann Stamitz, compositeur prolixe, « véritable père de la symphonie moderne », y a instauré le meilleur ensemble instrumental du monde. Mort à quarante ans, il en a abandonné la direction à Christian Cannabich qui depuis perpétue, dans un esprit d'exécution raffinée et de constante recherche dans les formes, la tradition d'excellence de ses musiciens.

« Ah ! s'exclame Wolfgang, on peut faire de la belle musique, avec cela ! »

Très vite, Salzbourg, sa contrainte, ses humiliations, s'éloignent des souvenirs de Mozart avec d'autant plus de force qu'il souffle, à Mannheim, un petit vent de liberté et de culture fort rafraîchissant. Le prince Karl Theodor est un ardent défenseur des arts, des lettres et des sciences. Très lié avec Voltaire comme avec Klopstock, Jacobi et Wieland, il a fondé, en 1775, la Société palatine allemande pour la défense de la langue et de la littérature nationales. Cette ambition séduit Wolfgang plus que toute autre : à l'heure où l'école italienne fait rage, allume des querelles de clans dans toutes les cours d'Europe, subjugue et finalement emporte presque tous les suffrages, Wolfgang, lui, continue de nourrir les mêmes aspirations et de caresser le même rêve : écrire un opéra allemand !

C'est pour cette seule raison qu'en ces premières journées de novembre où la bise se fait aigre sur la ville, où les finances de la mère et du fils sont dangereusement basses, l'humeur de Wolfgang reste pourtant à la légèreté. Plus il y réfléchit, plus la capitale du Palatinat lui paraît être le havre idéal pour vivre, composer et travailler. Salzbourg n'est pas très loin, mais ici il retrouve encore les racines allemandes auxquelles il se veut tellement attaché. Autre avantage, pour lutter contre l'omniprésence de l'école italienne, Mannheim a ouvert grand ses portes aux influences parisiennes. Chez Karl Theodor, la musique ne sent ni la poussière, ni le renfermé. D'ailleurs, pour épouser l'air du temps, Mozart y composera deux ariettes sur des paroles françaises, tout empreintes de grâce et de légèreté : *Oiseaux, si tous les ans* et *Dans un bois solitaire.*

Pour la première fois de sa vie, Wolfgang n'a que des raisons d'exulter : chez les Cannabich, enfin ! on ne cherche pas, dans son jeu ou dans ses compositions, le souvenir du petit garçon qui fit la conquête des cours européennes. À Mannheim, il est considéré comme un musicien hors pair. Un compositeur affranchi du fantôme pesant et fantaisiste du jeune prodige qui passa entre ces murs, accompagné de son père, quatorze ans plus tôt.

En cela aussi Mannheim est une étape de toute importance : celle où Wolfgang prend congé de son propre mythe. Il n'a plus à évoluer dans l'ombre oppressante de sa renommée, ni dans celle de son père. Il va s'imposer, il le veut, sans s'adonner aux cérémonies de courbettes dictées par Léopold. Désormais, c'est avec d'autres musiciens qu'il entrera en compétition, et non plus avec sa propre réputation de « surdoué ». Plus jamais Mozart ne veut avoir à rappeler, ou à tuer, ce qu'il fut.

De son passé, il n'a gardé que la nostalgie des jolis atours dont son père les parait, Nannerl et lui, avant d'aller les présenter dans les salons. Toute sa vie Wolfgang consacrera une grande partie de ses ressources à l'achat de ses tenues vestimentaires : gilets brochés, chemises de fine batiste, boutons en or et chaussures à lourdes boucles. Le tout trop voyant, trop ostentatoire, plus proche du chambellan que de l'aristocrate. Et lorsque viendra le temps de la mort dans la misère, son fidèle valet dénombrera encore, dans ses armoires, sept costumes complets de soie et de brocart.

Mais hormis ce point de détail, il n'a cure de son passé. Une envie débordante d'écrire l'obsède. Ici, il se présente au meilleur des publics qu'il connaîtra dans toute son existence : celui de ses pairs.

Il ne s'y trompe pas. Trois jours après la première et très mitigée rencontre avec Cannabich, il a conquis tous les musiciens de la ville. Il y a là le célèbre virtuose hautboïste Ramm, le maître de concert et compositeur Ignaz Holzbauer, le ténor Anton Raaf, le flûtiste Wendling, auteur de concertos et de quatuors pour flûte et cordes, et le violoniste Danner. Il est heureux, libre, et son cœur bat la chamade. Il se sent plein d'avenir, émerveillé par le fabuleux matériel d'exécution qu'il a sous la main. Cinquante remarquables musiciens qui possèdent à fond l'art des nuances, qui n'hésitent devant aucune audace harmonique, qui ont une magnifique sonorité, bref le bonheur total auquel s'ajoute une présence inusitée du pupitre des « vents », qui lui ouvre de nouvelles perspectives d'écriture ; sans compter le traitement privilégié dont bénéficient les bois, avec la présence de la clarinette, un instrument encore peu répandu.

Bridée à Salzbourg, la force créatrice de Wolfgang va s'épanouir à Mannheim où il passera cinq mois parmi les plus fructueux, les plus heureux et les plus insouciants de sa vie. Pour une fois il ne se heurte ni à la raillerie, ni à l'indifférence. Bien plus que son talent, ses amis musiciens applaudissent son génie. Il y a si longtemps que cela ne lui est pas arrivé : Wolfgang en ressent une incommensurable jubilation.

Le voilà laissant libre cours à son bonheur sur un mode qui lui est cher, l'ironie : « J'ai joué, ce matin, le concerto pour hautbois sur le pianoforte de Cannabich, et bien qu'on ait su qu'il est de moi, il a énormément plu. Personne ne dit qu'il n'est pas bien écrit, parce que les gens d'ici n'y comprennent rien. Qu'ils demandent seulement à l'archevêque (Colloredo), il les remettrait tout de suite sur le bon chemin. »

L'archevêque castrateur, le briseur de rêves, l'épouvantail à notes si loin de Wolfgang à cette heure. Colloredo abhorré, haï, détesté jusqu'à la nausée. Colloredo dont il se croit naïvement affranchi alors qu'il lui faudra un jour revenir à Salzbourg, brisé, humilié, rejeté, pour se remettre aux ordres !

Pour l'heure tout est beau, et chaque chose est à sa place. Wolfgang peut faire de loin des pieds de nez à son ancien tyran, sa ville natale s'est évaporée, envolée, évanouie.

*
**

Enfant, il a pourtant aimé Salzbourg à l'heure où elle n'était qu'une halte où se reposer. Un port où l'on faisait le point sur le voyage passé pour mieux préparer celui à venir. Salzbourg, dont l'intraitable prince-archevêque a fait depuis quatre ans sa prison, un piège dont il sent, jour après jour, les mâchoires de resserrer sur lui.

Comme si l'on cherchait à le priver de son oxygène, de son souffle, juste comme il commençait à s'imprégner des saveurs de la musique italienne, de ses parfums, de ses sucs. Juste au moment où il pouvait tout à loisir les marier avec les sonorités londoniennes de Jean-Chrétien Bach et de Haendel. Découvrir, aimer celles de Haydn et de Gluck.

Au cours de ses voyages il avait enregistré, avec sa prodigieuse mémoire, des voix, des rythmes, des sons. Et plutôt que de lui permettre de repartir sur les routes d'Europe pour puiser dans l'extraordinaire floraison musicale de cette fin de siècle, voilà qu'on l'enfermait. Qu'on le domestiquait. Qu'on le stérilisait.

Très vite, il avait compris combien tous le voulaient définitivement salzbourgeois. Léopold d'abord, qui avait décidé, grâce au salaire de Wolfgang, de s'installer plus confortablement dans un grand appartement sur la Makartplatz. Léopold qui avait tant de fois échoué dans ses tentatives de « placer » son fils comme *Konzertmeister* à Vienne. À Vienne et ailleurs. Et qui lui demandait de se soumettre.

Léopold qui lui avait un temps ouvert toutes les cours d'Europe, appris toutes les musiques, mais qui voulait maintenant lui enseigner l'obéissance et la médiocrité. Léopold qui tremblait devant le prince électeur, l'archevêque Colloredo. Et Colloredo qui ne savait que poursuivre Wolfgang de ses brimades.

Pourquoi ? Est-ce parce que tant de génie chez un jeune homme de basse extraction l'exaspérait, lui, le prince ? Parce que la conscience évidente que Wolfgang avait de son talent restait inadmissible chez un domestique ? Est-ce parce que Wolfgang Amadeus Mozart rêvait de composer de la musique allemande quand son maître ne prisait que l'italienne ? Sans doute pour toutes ces raisons à la fois. Sans doute aussi parce que l'orgueil de Colloredo n'avait d'égal que sa puissance et son bon vouloir. C'est aussi que dans son emportement à briser Mozart, à le soumettre et à l'humilier, il ira jusqu'à ne plus lui commander d'œuvres originales, préférant, en contrepartie d'un salaire tout juste suffisant, le cantonner à un rôle de simple exécutant.

Exécrable Colloredo qui répondra d'une brève annotation en marge de la lettre pressante (et très humble) dans laquelle Wolfgang le prie d'accepter sa démission – puisque le prince lui refuse le congé qu'il attend depuis six mois :

« Ex decreto Celsissimi Principis, 28 augusti 1777.

« Pour la Chambre des Comptes, avec ceci : que le père et le fils aient, selon l'Évangile, la permission d'aller chercher fortune ailleurs. »

Une « fortune » qu'au dernier moment, Colloredo (connaît-il l'incapacité de Wolfgang à se débrouiller seul dans la vie, son impossibilité à courtiser les grands ?) consent à accorder à Léopold, réintégré dans son service, laissant avec un mépris teinté d'ironie Wolfgang s'éloigner seul. Lui qui, mieux que quiconque, connaît par avance l'échec de ce voyage, pour avoir pris les quelques dispositions qui le lui assuraient...

*
**

Pour l'heure, Wolfgang ne doute pas une seconde que « la fortune » soit à Mannheim. Là où on l'écoute, où l'on se pâme, où le chef du meilleur orchestre au monde lui ouvre grand ses portes.

En quelques jours, Wolfgang devient un familier de la maison des Cannabich. Il y rencontre ses nouveaux amis, et – délicieuse, suprême friandise – il y fait la connaissance des filles de son hôte... Son expérience avec la cousinette lui a-t-elle donné le goût des jeux de l'amour ?

Elles sont deux et le cœur de Wolfgang balance : « Je vais tous les jours chez Cannabich et, aujourd'hui, maman y est également allée. Il m'est tout acquis. Il a une fille qui joue fort bien du clavier, et pour m'attirer complètement son amitié, je travaille actuellement pour mademoiselle sa fille à une sonate qui est déjà écrite jusqu'au rondeau. Lorsque j'ai eu terminé le premier allegro et l'andante, je la lui ai portée et l'ai jouée ; papa ne peut s'imaginer le succès remporté par cette sonate. »

Un coup de foudre ? Au jeune Danner il explique :
« Dès mon deuxième jour ici, j'avais déjà terminé tout
le premier allegro, alors que je n'avais vu Mlle Cannabich encore qu'une seule fois. »

Une seule fois, assurément, mais n'est-ce point suffisant ? La jeune fille possède à ses yeux des qualités
irremplaçables. « Rose est une très belle et gentille jeune
fille. Elle a beaucoup de raison et de maturité pour son
âge. Elle est sérieuse, ne parle pas beaucoup, mais
quand elle parle, elle le fait avec grâce et maturité. »

Il y a, dans la mise et les manières de la jeune fille,
quelque chose d'éthéré, d'inaccessible qui émeut Wolfgang. Et puis n'est-elle pas musicienne dans l'âme ?
Autant de qualités déterminantes à ses yeux, et qui
annoncent l'éblouissement qu'il ressentira en découvrant celles d'Aloysia.

Fait unique dans son œuvre, c'est à l'image même de
Rose qu'il compose cette sonate en *ut* majeur (K. 309).
Est-ce une déclaration d'amour déguisée ? Un zeste de
dérision à l'égard de lui-même ? Le sérieux, la pureté
de Rose l'intimident-ils ? On l'imagine, assis à côté de
cette jeune fille de quinze ans, si ravissante, touchant
ses mains pour les mieux poser sur le clavier, respirant
son parfum, frôlant son bras, l'appelant à lui en lui
offrant la plus rare des complicités, celle de son talent.

A-t-elle répondu à ses avances ? Apparemment non.
Mais il n'en souffre pas. Tout se passe comme si ces
contacts n'étaient que jeu, divertissement, émois à préserver intacts, sans les déflorer. Il compose sa sonate
et s'amuse à regarder Rose exécuter elle-même cette

partition acidulée, qui fera dire à certains biographes que cette fleur en bouton devait être une sacrée petite chipie.

Léopold, de son côté, fait part de ses réserves : il trouve la musique « maniérée et dans le goût de Mannheim ». Mais s'agit-il de la sonate, ou de cette jeune fille qu'il soupçonne déjà de vouloir voler le cœur de son fils, pis, de le détourner de son but ?

« La sonate est comme Rose, rétorque Wolfgang ; tel est l'andante, telle elle est. »

Écoutons-la à notre tour avec un spécialiste de Mozart, Wolfgang Hildesheimer : « L'ensemble du mouvement a le caractère d'une rêverie qui, par sa sensibilité, confine à l'élégie. Elle est surchargée d'indications dynamiques que ne justifie pourtant pas le contenu. La répartition emphatique du *piano* et du *forte* indique, et c'est là une curieuse exception, que la richesse de la pensée musicale a été surestimée. Jolies serait sans doute l'adjectif adéquat pour qualifier ces figures de style artificielles. Et d'ailleurs, comme en témoigne l'enthousiasme du peintre Wilhelm von Kobell, qui réalisera un fort beau portrait, Rose Cannabich était effectivement ravissante. »

Suffisamment en tout cas pour que Wolfgang, qui connaissait assez mal le cœur humain (toute sa vie il fera preuve d'une extraordinaire naïveté, d'une confiance aussi spontanée qu'émouvante et d'une totale ignorance du calcul et de la rouerie), compose une œuvre-portrait. Jamais il ne l'a fait auparavant. Plus jamais il ne s'y exercera.

Pourquoi ? Sans doute parce que ces cinq mois à Mannheim pendant lesquels sa sexualité, éveillée et révélée par la Bäsle, montera à son cœur comme une sève printanière, l'amèneront à réfléchir aux qualités des objets de son désir et à son idéal féminin. De la même manière qu'il comprendra très vite – et Aloysia l'y aidera – que cet idéal et ses représentations vivantes lui sont interdits.

De toute évidence, la beauté le transporte. Comme Chérubin dans les *Noces de Figaro*, Wolfgang ne peut rester de glace devant une très jolie jeune fille. Et plus elle est musicienne, plus il s'enflamme !

À Mannheim encore, il entre dans le jeu amoureux nanti de toutes ses illusions. Depuis toujours, on l'a vu, les femmes le caressent, l'embrassent, l'adulent, se le disputent. Chez lui, il est l'objet de tous les soins, de toutes les attentions : celles de Nannerl, qui nourrit un curieux sentiment à son endroit (son frère est manifestement devenu le pôle lumineux de sa vie) et celles d'Anna-Maria, fière, malgré la désaffection de Wolfgang, du talent et de la renommée de son fils.

Celles de sa cousine aussi, qui n'a pas repoussé ses avances, bien au contraire, et dont il loue, comme première des qualités, la « joliesse ».

Mais c'est chez Christian Cannabich que les premières ardeurs de ses vingt et un ans vont trouver, en Rose, une nouvelle nourriture. Un nouvel objet de désir et de rêve. Rôle passif auquel elle se prête volontiers : Wolfgang est tout au bonheur de sa musique, et Rose trop consciente du talent de son jeune professeur... Lui se contente, non sans quelque ironie, d'écouter battre son cœur, et elle se satisfait des attentions de son maître en musicienne consciente de l'hommage qui lui est fait.

Et puis, si Wolfgang est attendri par sa beauté, ému par sa grâce et son sérieux, il n'en est pas, somme toute, absolument, irréversiblement amoureux. C'est que, dans la maison de Christian Cannabich, il y a aussi Lisbel, la grande sœur. Aussi délurée que Rose est sage. Aussi coquine que Rose est posée. Drôle, taquine, vivante. Tentante, de toute évidence. Complice, comme le fut la cousinette, sur un registre bien particulier. Elisabeth joue avec lui à des allitérations scatologiques, fait ces plaisanteries scabreuses qui amusent tant Wolfgang. Au point que, sous le coup d'une soirée où il s'est particulièrement débridé, il commet l'imprudence de raconter ses forfaits à son père : « Moi, Johannes Chrisostomus Amadeus Wolfgangus Sigismundus Mozart, je m'accuse de n'être rentré qu'à minuit à la maison, hier et avant-hier (et souvent déjà) et d'avoir, de dix heures jusqu'à ladite heure, chez Cannabich, en sa présence et en compagnie dudit Cannabich, de son épouse, de sa fille, de Monsieur le trésorier, de Ramm et de Lang, souvent et sans remords, mais très légèrement, rimaillé. De plus uniquement des cochonneries, avec crotte, chier et lécher le cul, en pensées, en paroles... mais pas par action. Je ne me serais pas conduit de façon si dévergondée si l'instigatrice – nommée Lisbel (Elisabeth Cannabich) – ne m'y avait poussé et excité. Mais je dois avouer que j'y ai pris grand plaisir. Je reconnais du fond du cœur tous ces péchés et ces écarts, dans l'espoir de pouvoir les confesser assez souvent, et prends la ferme résolution d'amender toujours plus la vie dissolue que j'ai commencé à mener. C'est pourquoi je demande la sainte absolution, si elle peut s'obtenir facilement ; sinon, cela m'est égal, car le jeu continuera. *Lusus enim suum habet ambitum* (la plaisanterie poursuit son propre mouvement), dit saint Ascenditor, patron de la soupe au café, de la limonade moisie, du lait d'amandes sans amandes et en particulier de la glace à la fraise remplie de glaçons, puisqu'il est un grand connaisseur et artiste en matière de choses glacées. »

Tant pis si la plaisanterie n'est pas du goût de Léopold. Wolfgang jubile, s'amuse, comme en témoignent toutes les riches pages qu'il compose à Mannheim : deux sonates pour piano, un concerto et trois quatuors pour flûte, trois airs de concert, d'une verve éblouissante, d'une phosphorescence toute particulière.

Autant de compositions qui trahissent l'état d'esprit de Wolfgang, surtout lorsque l'on sait combien son processus créatif est le fruit d'un jaillissement qui échappe à toute construction arbitraire et consciente. Ses œuvres nous offrent ainsi la parfaite radiographie de son humeur et de ses états d'âme.

Or l'humeur est excellente, et son entourage féminin enivrant. Soupire-t-il encore pour Rose et pour Elisabeth Cannabich que mademoiselle Wendling, Augusta, dite « Güsti », la fille du flûtiste, ravit ses yeux et ses oreilles.

Elle est jolie, elle aussi. Elle est dotée d'une voix de sirène. Et c'est pour elle que Wolfgang va composer les deux ariettes françaises.

Il est encore tout étourdi par mademoiselle Wendling que la belle Thérèse Pierron-Serrarius entre en scène. Son père, conseiller auprès du prince Karl Theodor, est tellement désireux qu'elle prenne des leçons ! Et comme il aimera lui en donner, Wolfgang ! Jusqu'à composer pour elle une sonate en *ut* pour violon et piano.

À l'aube de ses vingt-deux ans, Wolfgang prend feu comme le phosphore à la flamme d'un regard, à la chaleur d'un sourire de ces troublantes adolescentes.

Et bien qu'il soit à l'âge de l'introspection, des interrogations, il ne s'arrête pas un instant sur ses éventuelles chances. Plaît-il, ne plaît-il pas ? Ce n'est pas encore son problème. Il baigne dans un sentiment de confiance né du souvenir des généreuses caresses féminines reçues dans son enfance. Et puis il n'est pas narcissique, pas même de son talent qui seul revêt un intérêt à ses yeux.

S'il n'est ni orgueilleux, ni même vaniteux, il n'a aucune raison de douter de son aura face à son entourage, fût-il féminin. Un milieu qu'il adore, mais qu'il connaît si mal ! Ces femmes, ces jeunes filles qu'il pare de toutes les qualités, c'est au travers du miroir déformant de ses premières ardeurs qu'il les regarde.

Or, elles, elles le voient tel qu'il est : un Teuton un peu lourd, un peu niais, prompt à ouvrir son cœur, incapable de perversité, de mensonges, peu séduisant pour tout dire.

Depuis quelques années déjà la grâce de l'enfance a quitté ses traits. Son visage s'est alourdi, s'est épaissi. Mozart n'est pas beau ! Il est petit, à la fois frêle et massif. Ses yeux sont légèrement exorbités, ses lèvres lippues et son nez épais. La maladie dont il a souffert, enfin, une craniosténose, a déformé son front proéminent, exagérément grand.

Aucune grâce, aucune classe ne se dégage de sa personne.

« Mon frère fut un enfant assez joli, écrit Nannerl dans ses carnets. Mais il fut défiguré par la petite vérole et pis, il revint d'Italie avec le teint jaune des Italiens. »

« C'est un petit homme lippu, à forte tête et aux mains charnues », décrira le docteur Frank, l'un de ses derniers élèves. Difficile dès lors de croire qu'il ait pu être un don Juan, un jeune homme dont le charme aurait pu tourner ces têtes légères et bouclées qui l'affolent.

Bien au contraire. Si l'on en croit ces témoins, Wolfgang était franchement laid, même s'il nous est difficile de corroborer cette affirmation au vu des nombreux portraits qui furent exécutés de son vivant : s'il n'en est pas deux qui se ressemblent, pourquoi y en aurait-il un seul qui lui soit fidèle ? Ingrat, donc. Plébéien. Vulgaire, comme il le reconnaissait lui-même. Tapageur. Le regard un peu illuminé sous la prodigieuse et exubérante chevelure châtain clair, qu'il se contente de poudrer, d'attacher ou de tresser. Insupportable aux yeux de l'aristocratie... Transparent à ceux des femmes, ou de leur très grande majorité.

Mais, laid ou pas, Mozart pour l'instant n'en a que faire. Il papillonne. Dans les lettres qu'il écrit à la cousinette, il laisse déferler son érotisme, abonde en détails crus, et va jusqu'à demander à la Bäsle qu'elle lui envoie son portrait « à la française », c'est-à-dire fort dévêtue. À la ville, au milieu de ces jeunes musiciennes, il écrit aussi, mais de la musique pure et poétique. Son lyrisme reste exclusivement musical, harmonieux, respectueux.

Toute sa vie Wolfgang fera preuve de ce double langage amoureux et d'une fascination presque enfantine pour les musiciennes, et plus particulièrement pour les cantatrices.

Dans quelques semaines, sa rencontre avec Aloysia, dont la voix est magnifique, va le pétrifier d'amour... À Munich déjà, il écrivait à sa sœur, au sortir d'un opéra, que la Kaiser, « une très agréable jeune fille », avait si bien chanté qu'elle lui avait « tiré plus d'une larme des yeux ».

Cette vénération, il en sera encore victime à Vienne, devant la jeune cantatrice Nancy Storace... Comme si, chez Wolfgang, le jeu amoureux naissait de deux sources bien distinctes : la pulsion érotique ou la passion sublimée. Et même Constance, sa femme, ne le guérira pas de cette dichotomie, comme on le verra plus tard...

*
**

Ainsi l'emploi du temps de Wolfgang est-il parfaitement réglé. Le matin, composition dans sa chambre, à l'auberge. Puis visite chez Wendling où il continue de composer. Déjeuner, cours divers, leçon à Rose Cannabich et soirées, on l'a vu, passées à plaisanter, à rire et à flirter, dans une atmosphère de légèreté que l'on imagine facilement.

Wolfgang au piano et autour de lui, si légères, si fraîches, toutes ces demoiselles en robes de drap ou de soie parées de dentelles, les mains graciles, les bouches pleines aux lèvres petites et charnues.

Wolfgang improvisant pour l'une ou pour l'autre, ses doigts glissant sur le clavier et ses regards sur leurs visages roses, un peu empourprés par la vive chaleur des poêles, l'émotion et les liqueurs.

Chez les Cannabich, les conversations et les plaisanteries vont bon train. Chez les Wendling, l'atmosphère est plus au libertinage qu'au recueillement. On s'y veut aussi aérien, mais aussi sincère que la musique pour laquelle on vit. À travers laquelle on aime vivre. On ne fréquente pas beaucoup l'église mais bien davantage les auberges. Pour eux, le péché de chair a le bon goût du fruit mûr.

Ainsi la ravissante, l'affriolante mademoiselle Augusta Wendling est-elle la maîtresse du prince Karl Theodor et Wolfgang, si prompt à comprendre les femmes pour mieux les excuser, trouve à cette activité coupable bien des qualités : Augusta n'en est-elle pas plus belle, plus grave, plus épanouie ? Comme si l'amour donnait à sa chair la maturité lente et le suc d'un abricot au soleil d'été.

La seule à ne pas goûter les charmes de ce ton délibérément libertin qui baigne les soirées de Mannheim, c'est Anna-Maria. Elle en avertit Léopold qui s'en inquiète dans ses lettres : chez les Mozart, on ne badine ni avec son salut, ni avec les choses de la religion. Un état d'esprit que Wolfgang partage sans aucun doute. Il possède une foi limpide, évidente, qu'il ne pensera jamais à remettre en question et qui détermine d'une façon très particulière sa vision de la mort.

Ces jeux l'amusent mais ne le contaminent pas. Et là encore, on retrouve chez lui cette caractéristique étonnante, cette façon qu'il a de ne jamais se projeter dans la vie. S'il est capable de grandes colères, de fracassants coups d'éclat, il ne se départ jamais de sa superbe magnanimité. Il pardonne et oublie tout aussi vite. C'est bien ce qu'il essaie d'expliquer à Léopold, plus souvent directeur de conscience que père.

« Cher papa,

« J'ai écrit que votre dernière lettre m'a fait très plaisir ; c'est vrai ! Mais un point m'a un peu chagriné – vous me demandez si je n'ai pas oublié de me confesser. Je n'ai rien à objecter à cette question. Mais permettez-moi une prière : ne pensez pas si mal de moi ! J'aime bien m'amuser, mais soyez assuré que je peux malgré tout être sérieux. »

Mais le sens de l'humour de Léopold, échaudé par les frasques incessantes et les coups de tête de Wolfgang, n'est plus en mesure de tempérer ses conseils et ses mises en garde.

Là-bas, cantonné à Salzbourg, incapable de contrôler la situation, il se ronge les sangs et le dit, probablement avec trop d'insistance et de maladresse, à ce fils dont le destin est son unique préoccupation.

Et s'il peut accepter la désinvolture de Wolfgang face aux problèmes d'argent, il n'en est pas de même pour tout ce qui touche à son salut !

On comprend dès lors que le pastiche du *Confiteor* expédié après cette soirée chez les Cannabich, où Lisbel l'a beaucoup incité à faire le fou, l'ait vivement alarmé.

Et puis comment son fils peut-il rester d'humeur à plaisanter quand aucune nouvelle rassurante ne parvient de la cour ? Quand la situation financière devient alarmante et que les dépenses prennent des proportions effrayantes ? Quand Anna-Maria se morfond, esseulée, dans la chambre glaciale de son auberge ?

Les lettres de Léopold crépitent de mises en garde. Où en est ce poste de musicien ? Comment Wolfgang compte-t-il gagner ces pièces d'or dont ils ont tous tellement besoin ? À quoi lui sert de baiser la main de la princesse électrice pendant ces petits concerts qui ne lui rapportent rien ? Léopold se moque des compliments. Il veut du concret. Du sérieux. Et Wolfgang a beau s'amender, parsemer ses lettres de « papa chéri ! Je ne peux écrire poétiquement, je ne suis pas poète. Je ne saurais manier les formules assez artistiquement pour qu'elles fassent jouer les ombres et les lumières, je ne suis pas peintre. Je ne peux non plus exprimer mes sentiments et mes pensées par des gestes et par la pantomime, je ne suis pas danseur. Mais je le peux grâce aux sons, je suis musicien », Léopold ne se laisse pas attendrir. Mannheim, il n'y croit plus. Il sait déjà que cette troisième étape sera encore un échec.

« Pour l'amour du ciel, vous devez absolument gagner de l'argent. Je n'ai jamais eu le plaisir d'apprendre pourquoi vous avez cru bon de vous précipiter tout droit à Mannheim. Sans doute sur les conseils insistants de diverses personnes qui croient tout mieux savoir. Et pour ne pas manquer le bel opéra allemand. Suffit ! C'est trop tard. Tu dois maintenant veiller non seulement à te faire entendre chez le prince électeur de Mayence, mais à t'arranger pour recevoir un cadeau en argent liquide. (...) Je vous demande maintenant de me faire part de vos réflexions, et de me dire comment vous envisagez de poursuivre votre voyage. »

Il devient d'ailleurs urgent de le poursuivre, ce périple : le 9 décembre 1777, malgré les nombreuses et pressantes recommandations de ses amis musiciens, Wolfgang apprend le refus définitif de Karl Theodor :

à Mannheim, l'ombre de Colloredo est trop présente pour que l'on puisse l'ignorer. Le prince n'engagera pas Wolfgang. Il ne lui commandera pas cet opéra dont il avait, pourtant, suggéré la composition.

« Il n'y a désormais plus rien à attendre du prince électeur. J'étais hier à l'académie de la cour, pour avoir enfin une réponse. Le comte Savioli m'ignorait bel et bien, mais j'allai droit sur lui. Quand il me vit, il haussa les épaules :

— Comment, dis-je, aucune réponse ?

— Je vous demande pardon, dit-il, malheureusement c'est non.

— Eh bien, dis-je, le prince aurait pu me la faire connaître plus vite.

— Oui, et pourtant il ne serait pas encore résolu à l'heure qu'il est si je ne l'en avais pas fortement prié en lui expliquant que vous êtes à Mannheim depuis longtemps déjà, en train de dépenser votre argent à l'hôtel.

— C'est en effet ce qui me mécontente le plus. Cela n'est pas bien du tout ! Mais par ailleurs, monsieur le comte, je reste votre obligé, car vous avez défendu ma cause avec beaucoup d'ardeur et je vous prie de remercier le prince en mon nom pour cette nouvelle, bien tardive en vérité mais pourtant encore gracieuse. Je puis cependant l'assurer que, s'il avait accepté, il n'aurait certainement pas eu l'occasion de le regretter.

— Oh ! dit-il, j'en suis bien certain ! Et plus que vous ne le croyez ! »

Mannheim, c'est fini. La mère et le fils vont-ils, comme les en prie Léopold, partir pour une autre destination ? Ce sont les conclusions logiques auxquelles Léopold veut en arriver. C'est aussi la position la plus raisonnable pour les Mozart de plus en plus désargentés.

Mais, contre toute attente, Wolfgang décide de prolonger son séjour.

Il annonce le refus de Karl Theodor à Wendling. Le flûtiste devient tout rouge et dit, en s'échauffant : « Il faut trouver une solution, vous devez rester ici au moins les deux prochains mois, pour que nous allions ensuite ensemble à Paris. »

Quant à mademoiselle Rose, consternée, elle s'applique si bien à lui jouer sa sonate que Wolfgang ne peut retenir ses larmes... Décidément, on ne peut le laisser dans cet embarras. Tous les musiciens se concertent pour organiser la suite du séjour. Anna-Maria logera chez les uns, Wolfgang chez les autres. Les deux seront nourris. Et monsieur Dejean, un riche Hollandais, passera commande de concertos, payés en espèces sonnantes et trébuchantes, ou en montres et tabatières !

Lorsque le plus dur de l'hiver sera passé, c'est promis, Anna-Maria repartira enfin pour Salzbourg, et Mozart pour Paris où il fera fortune !

La nouvelle ravit la pauvre maman. Revenir, revoir enfin sa maison ? La voilà toute ragaillardie, défendant le projet de Wolfgang auprès de son époux avec une véhémence retrouvée. D'un seul coup, les amis de son fils lui sont infiniment sympathiques. Elle qui n'a pu, à juste titre, que se plaindre de sa situation depuis le début du voyage, commence à revivre.

« Aujourd'hui, le 11, j'ai déjeuné chez Danner, comme d'habitude, et ils m'ont tous deux demandé de te transmettre leurs compliments respectueux, ainsi qu'à Nannerl. Ce sont de braves gens et ils font preuve avec moi de beaucoup de civilité. »

Son départ est fixé pour le 15 février. À Salzbourg, Nannerl bondit de joie. À Mannheim, Wolfgang compose.

Et c'est alors qu'il rencontre Aloysia. Celle qui va ruiner le fragile équilibre de la famille Mozart et précipiter la fatale destinée d'Anna-Maria...

– 4 –

ALOYSIA : LA GRANDE PASSION

« Donne-moi un baiser mon amour,
un seul baiser ou je meurs. »
FERRANDO, *Cosi fan tutte.*

Comment Wolfgang a-t-il connu Aloysia ? Ni dans
la correspondance qu'il échange avec sa famille, ni dans
les témoignages qu'en donneront ses proches il n'est
fait mention de cette première rencontre. Mais tout
porte à croire que l'amour de Wolfgang pour Aloysia,
s'il fut un coup de foudre, n'a pas été le fruit du hasard.

Bien au contraire. Comme dans un sombre livret
d'opéra, la découverte émerveillée que Mozart fit de
l'amour, au travers d'Aloysia, semble avoir été l'objet
d'une tortueuse manigance ourdie par la famille Weber
tout entière.

Franz Fridolin Weber, le père d'Aloysia, copiste de
son état, n'était sans doute pas un sot : il avait suivi, au
cours de sa jeunesse, des études de droit pour postuler,

comme son propre père l'avait fait, aux fonctions d'intendant de la seigneurie de Schönau, en Forêt-Noire. Sa carrière de fonctionnaire semblait donc toute tracée : simple, solide, honorable, lorsque sa route avait croisé celle de Maria-Caecilia Stamm, originaire de Mannheim. Femme de basse extraction, et sans doute de vertu douteuse, celle-ci allait briser par cette union la carrière d'un mari qui, après avoir joué sans inspiration de la contrebasse dans l'orchestre de Mannheim, devenait sans passion le copiste attitré du théâtre de la ville.

Or, si le métier de copiste est obscur et déprécié aux yeux des autres musiciens, il n'en est pas moins indispensable à la vie musicale. Sans lui, aucune œuvre nouvelle ne peut être gravée. Dès lors, la route des Weber se devait de croiser celle de Mozart...

Fridolin, donc, est loin d'être niais. Les morceaux de musique qu'il transcrit et que Wolfgang dédicace, pour la plupart, aux filles des musiciens, il sait les lire. Il sait en apprécier la profondeur, la qualité exceptionnelle.

Qui d'autre que lui pourrait mieux en juger ? N'est-il pas, à longueur d'années, penché sur ses feuilles de papier réglé, à copier sans relâche des concertos bien banals en général, des symphonies sans éclat, de mornes arias qu'on lui apporte comme autant de chefs-d'œuvre ! Il copie jour et nuit, à la lueur de la chandelle, pour un salaire de misère, se tuant les yeux pour tout juste parvenir à nourrir sa femme et ses enfants.

Des nombreuses naissances qui ont rythmé ses années de mariage, il ne reste, bien vivantes, que quatre filles. La deuxième a reçu, dans son berceau, toutes les grâces des fées. Elle est magnifique, la taille bien prise, le teint lumineux, un sourire éclatant, un éclat incomparable, un rire perlé et des cheveux de soie. Pour couronner le tout, elle possède une voix absolument admirable, au timbre de miel et aux sonorités cristallines.

Mais qui écoute Aloysia ? Personne, à Mannheim. La mauvaise réputation de sa mère, la distance dans laquelle on maintient le père lui verrouillent toutes les portes. Son talent est exceptionnel, mais Fridolin n'a pas un florin en bourse pour lui offrir les indispensables leçons qui feraient d'elle une cantatrice : chanter s'apprend, se travaille, se perfectionne.

Chez elle, dans la misérable maison que sa famille occupe, Aloysia tourne en rond, désespérée. Elle va avoir dix-huit ans, ce qui, en 1777, n'est plus si jeune. Ses belles années se fanent sans que personne n'en récolte les fruits. Encore quelques automnes, quelques hivers et il sera trop tard, elle le sait. Laissée en jachère, sa voix ne pourra plus s'épanouir. Une carrière de cantatrice mal gérée peut finir avant même d'avoir vraiment commencé. Et Aloysia, qui en a parfaitement conscience, se désespère devant des parents impuissants à combler ses vœux.

Jusqu'au jour où l'occasion tant souhaitée se présente.

Maximilien III, auquel Wolfgang a été confronté quelques mois plus tôt, meurt le 30 décembre, rongé par la syphilis. Immédiatement Karl Theodor, prince électeur du Palatinat, qui brigue depuis longtemps sa succession, se fait proclamer, à Munich et à Mannheim, nouvel électeur du duché de Bavière. Et pour couper court à toute contestation sur ce titre, il quitte précipitamment sa cour, appelant à sa suite une grande partie de ses musiciens. Pour Mannheim, c'est la fin d'une période de gloire qui avait porté au zénith l'excellence de l'orchestre.

Tout ce que la ville comptait de mélomanes déménage à la suite du prince électeur. Les concerts s'espacent, les leçons de musique se raréfient, la vie musicale s'en trouve ralentie et, comme la plupart des musiciens qui sont restés, Wolfgang souffre de ces changements. Cette fois-ci, il en est sûr, il doit partir pour Paris. Ce que Léopold n'avait pu faire, les événements vont en décider et pousser Mozart, Raaf et Wendling à avancer la date du voyage en France... ainsi qu'à se préoccuper activement de faire rentrer un peu d'argent.

Or, à quelques kilomètres de Mayence, à Kirchheim-Boland, la princesse d'Orange, sœur du Stathouer Guillaume V des Pays-Bas, exprime le fort désir d'organiser un concert où elle pourrait entendre quelques compositions originales.

L'aubaine est unique. Mozart la saisit au vol et confie à Weber la copie de quatre petites arias qu'il a l'intention d'offrir à la princesse.

Quatre ravissants morceaux qui représentent enfin, pour les Weber, l'occasion inespérée de sortir de leur marasme.

Si Aloysia, encore inconnue, se présente seule devant la princesse d'Orange, elle ne sera jamais reçue. En revanche, si elle profite de la réputation de Mozart, alors toutes les portes s'ouvriront devant elle. À cette idée, les Weber sautent de joie. Aloysia applaudit des deux mains.

Il reste encore à convaincre Wolfgang de bien vouloir les entraîner à sa suite. Le prétexte sera double : la musique, bien sûr, et... Aloysia !

En rendant ses copies à Wolfgang, Fridolin lui propose donc de faire interpréter ses compositions par Aloysia qui en assurerait ainsi un meilleur écho.

Pas une minute Wolfgang ne détecte le piège. Totalement dépourvu de méfiance, incapable du moindre calcul, il se réjouit bien au contraire de l'offre de Fridolin. Il déteste la solitude, et cette curieuse famille, si elle a pu lui déplaire dans un premier temps (Wendling et les autres n'ont certainement pas manqué de faire connaître, au cours des longues soirées passées ensemble, leurs sentiments sur les Weber), lui semble maintenant très sympathique.

Comment pourrait-il imaginer un seul instant qu'il est en train de se jeter dans les griffes d'une jeune ambitieuse doublée d'une redoutable coquette ? Comment pourrait-il s'en douter ? Il la croit « persécutée », et sans défense, parce qu'il la pense plus jeune qu'elle ne l'est en réalité...

Quinze ans, a dit Fridolin Weber, bien décidé à tout mettre en œuvre pour attendrir le cœur de Wolfgang, et l'on peut imaginer l'art consommé avec lequel

Aloysia, qui en a dix-huit, va jouer son rôle : à la perfection.

Si elle parvient à séduire Wolfgang, il y a, à la clé, une grande carrière de cantatrice, et toutes ses ambitions réalisées, tout son avenir, et le confort matériel qu'elle en espère assuré pour elle et pour les siens. Pauvre Wolfgang ! Pris entre ces cinq femmes et un père complice, il n'a aucune chance d'en réchapper. Il est laid, elle est belle, et nantie de cette qualité suprême qui le transporte au septième ciel : une voix, instrument divin, capable de moduler à l'infini toutes les musiques qu'il a en tête.

Il la regarde, ébloui. Il l'écoute. De ses lèvres coule cette substance vitale, sublime, incomparable : des notes. Des architectures de notes. Des trilles, des arpèges, des aigus lancés et suspendus dans un souffle. Une partition tout entière de pureté.

Le 17 janvier 1778, il fait part de son projet de voyage à son père : « Mercredi prochain, je partirai pour quelques jours à Kirchheim-Boland chez la princesse d'Orange ; on m'a dit ici tant de bien d'elle que je me suis décidé. *(...)* Je recevrai au moins huit louis d'or. En effet, comme elle est un remarquable amateur de chant, j'ai fait copier pour elle quatre airs. Je lui remettrai également une symphonie, puisqu'elle a un charmant petit orchestre et donne tous les jours des concerts. La copie des airs ne me coûtera pas grand-chose non plus car elle a été faite par un certain M. Weber qui fera le déplacement avec moi.

« Je ne sais si je vous ai ou non écrit au sujet de sa fille. Elle chante fort remarquablement et a une belle voix pure. Il ne lui manque que l'action (le jeu sur scène) pour pouvoir tenir le rôle de prima donna dans n'importe quel théâtre. Elle n'a que quinze ans, son père est un très honnête Allemand qui élève bien ses enfants, et c'est la raison pour laquelle sa fille est persécutée ici...

« Savez-vous ce que je voudrais ? Que vous m'envoyiez petit à petit, à l'occasion, mais dès que possible, les deux sonates à quatre mains et les variations de Fischer ! J'en aurai besoin à Paris. Je crois que nous partirons le 15 février, car ici il n'y a plus d'opéra. »

Wolfgang est séduit, mais il n'est pas encore tout à fait perdu. On recompose, en lisant cette lettre, l'ignoble comédie que lui jouent les Weber sur l'air de la misère et de la vertu persécutée. D'instinct Fridolin a trouvé le ton juste, et le bon argument. Wolfgang a du cœur et de la générosité. Il s'émeut facilement des malheurs d'autrui. Toutefois, il ne compatit pas encore au point de renoncer à ses projets. Aloysia n'est pas suffisamment présente dans son cœur, et puis Paris l'attend. Paris, bien sûr, mais surtout et toujours l'écriture d'un opéra allemand...

Léopold, trop éloigné, ne flaire pas encore le danger. De Salzbourg, il s'affaire pour demander à Vienne les recommandations dont Wolfgang aura besoin à la cour de France. Il frappe à toutes les portes, s'adresse au maître italien du contrepoint, le père Martini (celui qui, lors du deuxième voyage en Italie, fit travailler Wolfgang) ; il intervient auprès de ses connaissances viennoises, à la demande même de son fils qui « sait d'une façon certaine que l'empereur a l'intention de faire monter à Vienne un opéra allemand, et qu'il cherche un jeune maître de chapelle qui parle allemand et qui soit capable d'apporter aux yeux du monde quelque chose de neuf et fort. *(...)* Je vous en prie, écrivez à tous les excellents amis de Vienne que je suis en mesure de faire honneur à l'empereur. Qu'il me laisse faire mes preuves avec un opéra. Je vous en prie, commencez tout de suite ces démarches de peur que quelqu'un d'autre n'arrive avant moi... »

De toute évidence, quand Wolfgang laisse sa mère à Mannheim et s'offre l'intermède de ce voyage, son esprit est tout occupé par sa musique et par ses projets de départ. Ah ! s'il pouvait seulement décrocher cette commande ! Alors, songe-t-il, la vie prendrait enfin un sens.

Chez les Weber, on est inquiet. On le sent encore trop « ailleurs », à Vienne, à l'opéra, dirigeant son livret. Il faut lancer, sans plus attendre, la grande offensive.

Dans le huis clos de la voiture qui les emporte chez la princesse d'Orange, Aloysia se fait charmeuse. Plaisanteries, œillades, frôlements de main. Elle profite de

chaque halte dans les relais de poste, de chaque pro-
menade en tête à tête, et c'est un enchantement pour
Wolfgang qui ne compte plus les baisers donnés ou
volés, les privautés favorisées par le couple infernal.

Tant de coquetteries, tant de libertinage incandescent
le bouleversent. Son cœur s'embrase. Il est heureux
comme un enfant sur ces routes de Bavière, sur ces
délicieux sentiers de vacances. C'est avec Aloysia qu'il
souffle les bougies de son vingt-deuxième anniversaire... Pour elle qu'il s'empresse, use d'un langage
châtié, bien loin des grasses plaisanteries échangées
avec la cousinette. Aloysia est si pure, si jolie, si fragile,
si talentueuse !

Dès lors, plus personne ne semble pressé. On
s'attarde, on multiplie les haltes sans pour autant
qu'Anna-Maria et Léopold n'en prennent ombrage. À
Salzbourg, bien au contraire, ils se réjouissent de la
villégiature et en concluent que la princesse d'Orange
se pâme devant le talent de leur fils et le couvre d'or.
Quand il reviendra, écrit Léopold à sa femme, Wolfgang sera certainement nanti « d'un beau présent ».

En fait, quand l'équipage est de retour à Mannheim,
le 2 février 1778, les Weber ont gagné : Wolfgang est
amoureux fou d'Aloysia. Il est disposé, pour la suivre,
à renier tout ce qu'il a aimé, jusqu'à ses amis, jusqu'à
sa famille, jusqu'à sa carrière, et même prêt à renoncer
sur l'heure à son projet d'opéra allemand !

Il suffit, pour en être convaincu, de l'écouter raconter
son voyage, trahir ses émotions et, entre les lignes, naïf

comme il l'est, la perfidie et l'avarice sordide des Weber...

*
**

« Monsieur mon très cher père !

« Je veux tout d'abord vous écrire comment s'est passé mon voyage à Kirchheim-Boland. Nous avions une galante voiture fermée à quatre places et sommes arrivés dès 4 heures. Nous avons immédiatement envoyé au château un billet avec nos noms. Dès le lendemain matin, M. le maître de concert vint nous voir ; on me l'avait décrit à Mannheim comme un homme profondément honnête et je le trouvai vraiment ainsi. Le soir, nous nous rendîmes à la cour, c'était samedi ; mademoiselle Weber chanta trois airs. Je passe sur son chant – en un mot remarquable ! Je vous ai parlé de ses mérites dans ma dernière lettre, mais ne pourrai clore la présente sans vous parler encore plus d'elle, maintenant que j'ai appris à la connaître et constaté finalement tout son talent. *(...)* Nous aurions volontiers, *unanimiter*, renoncé aux repas de la cour, car nous n'étions jamais aussi heureux que lorsque nous étions seuls tous ensemble, mais nous avons dû penser économiquement – nous avons eu bien assez à payer comme cela.

« Le lendemain, lundi, il y eut à nouveau musique, puis mardi ainsi que mercredi ; mademoiselle Weber chanta treize fois en tout et joua deux fois du piano, car elle ne joue pas mal du tout. Ce qui m'étonne le plus, c'est qu'elle lise si bien la musique. Rendez-vous compte : elle a joué mes sonates difficiles, à première vue, lentement, mais sans qu'il y manque une note. Sur mon honneur, je préfère l'entendre, elle, jouer mes sonates plutôt que Vogler. *(...)* J'ai joué douze fois en tout. J'ai présenté quatre symphonies à la princesse et n'ai reçu que sept louis d'or en monnaie d'argent, et ma pauvre chère Weberin cinq. Je ne me le serais vraiment pas imaginé. Mais nous n'y avons pas perdu, j'ai même eu un bénéfice de quarante-deux florins et le plaisir indescriptible de faire la connaissance de gens profondément honnêtes, bons et catholiques, chrétiens. Je regrette seulement de ne pas les avoir connus plus tôt.

« Voici maintenant quelque chose d'important, au sujet de quoi je vous demande une réponse immédiate. Maman et moi nous sommes entretenus sur le fait que la manière de vivre des Wendling ne nous plaît absolument pas.

« Wendling est un brave et honnête homme, mais malheureusement sans aucune religion, ainsi que toute sa maisonnée. Il suffit de dire que sa fille a été la maîtresse du prince Karl Theodor. Ramm est un brave homme, mais un libertin. Je me connais et sais que j'ai assez de sens religieux pour ne jamais faire quelque chose que je ne puisse avouer au monde entier ; mais la seule idée de voyager seul en compagnie de gens dont la manière de penser est si éloignée de la mienne (et de celle de tous les gens honnêtes) me fait peur. Par ailleurs, ils peuvent faire ce qu'ils veulent. Je n'ai pas le cœur de voyager avec eux, je n'aurais pas une seule heure de plaisir, je ne saurais que leur dire, car en un mot, je n'ai guère confiance en eux. Des amis sans religion ne sont pas de longue durée.

« Je leur ai déjà donné un avant-goût. J'ai dit que pendant mon absence, trois lettres étaient arrivées et que je ne pouvais rien leur dire si ce n'est que je pourrais difficilement faire le voyage avec eux. Que je viendrais peut-être les rejoindre, mais que j'irais peut-être ailleurs et qu'ils ne devraient pas compter sur moi. Voici quelle est mon idée.

« Je termine commodément la musique pour Dejean. Je reçois mes deux cents florins et peux rester ici aussi longtemps que je veux. Je n'ai de frais ni pour le logis ni pour la nourriture. Entre-temps, M. Weber s'efforcera de se faire engager avec moi pour des concerts. Nous voyagerions ainsi ensemble. Si je fais des voyages avec lui, c'est comme si je les faisais avec vous. C'est pourquoi je l'aime tant car, hormis le physique, il vous ressemble et a tout à fait votre caractère et votre manière de penser. Si maman n'était pas si paresseuse pour vous écrire, elle vous dirait la même chose. Je dois avouer que j'ai aimé voyager avec eux, nous étions joyeux et gais ; j'entendais un homme parler comme vous, je n'avais à me soucier de rien, je trouvais raccommodé ce qui était déchiré, en un mot j'étais servi comme un prince.

« J'apprécie tellement cette malheureuse famille que je ne souhaite rien tant que pouvoir la rendre heureuse ; et peut-être le puis-je. Mon conseil serait qu'elle aille en Italie. C'est pourquoi je voulais vous prier de bien vouloir écrire – le plus tôt sera le mieux – à notre bon ami Lugiati pour qu'il s'informe de ce qu'on donne, au maximum, à une prima donna à Vérone. Plutôt plus que moins, on peut toujours baisser – peut-être pourrait-on également obtenir Venise. Je garantis sur ma vie que son chant me fera honneur. Elle a déjà bien profité avec moi, en si peu de temps ; combien ne profitera-t-elle pas d'ici là ? Je n'ai pas peur non plus pour l'action. Si cela se peut, monsieur Weber, ses filles et moi aurons l'honneur de rendre visite pendant quinze jours à mon cher papa et à ma sœur chérie, au passage. Ma sœur trouvera en mademoiselle Weber une amie et une camarade, car elle a ici, à cause de sa conduite, une bonne réputation, comme ma sœur à Salzbourg. Le père est comme le mien, et toute la famille comme les Mozart. C'est la probité qui l'emporte. Je dois avouer que je serais très heureux de revenir à Salzbourg avec eux pour que vous puissiez l'entendre. Elle chante de façon superbe les airs que j'ai écrits. Je vous en prie, faites ce qui est en votre pouvoir pour que nous allions en Italie. Vous connaissez ma plus grande ambition – écrire des opéras.

« À Vérone, je suis prêt à écrire un opéra pour cinquante sequins, uniquement pour qu'elle me fasse honneur ; car si ce n'est pas moi qui écris, je crains qu'elle ne soit sacrifiée. En attendant je gagnerai, grâce à d'autres voyages que nous ferons ensemble, suffisamment d'argent pour que cela ne me fasse pas de mal.

Je crois que nous irons en Suisse et peut-être en Hollande. Si nous nous arrêtons longtemps quelque part, l'autre fille, qui est l'aînée, nous rendra grand service car nous pourrions avoir notre propre ménage, puisqu'elle sait aussi faire la cuisine.

« À propos, ne vous étonnez pas que sur soixante-dix-sept florins, il ne m'en soit resté que quarante-deux. J'ai agi par pur bonheur que des gens honnêtes et ayant les mêmes idées se retrouvent ensemble : je n'ai pu m'empêcher de payer la moitié des frais. Mais ce ne sera pas le cas pour les autres voyages, je le leur ai déjà dit, je ne paierai que pour moi. (...)

« Donnez-moi vite une réponse, je vous en prie ; n'oubliez pas mon désir d'écrire des opéras. Mais en italien, pas en allemand. Ma mère est satisfaite de ma manière de voir : je ne peux absolument pas voyager avec des gens, avec un homme qui mène une vie dont le dernier des humains aurait honte. Et l'idée d'aider une pauvre famille sans se faire de tort à soi-même comble d'aise mon âme. Je vous baise mille fois les mains et suis, jusqu'à la mort, votre fils très obéissant. »

*
**

Quelle lettre, quelle manipulation, quel retournement ! Quel drame effroyable pour Léopold quand ses yeux horrifiés parcourent ces lignes ! Est-ce bien Wolfgang qui lui écrit ? Wolfgang, qui serait prêt à sacrifier des années d'études, de travail, pour une jeune fille dont il ne savait encore rien quelques semaines auparavant ? Wolfgang qui, dans cette même lettre, boude les propositions d'écriture d'un opéra allemand, alors qu'il entretient ce rêve depuis son enfance ?

Les Weber peuvent se frotter les mains. En une semaine, ils se sont acquis, corps et âme, ce jeune et talentueux compositeur. Non seulement il fera travailler gratuitement Aloysia, mais il composera pour elle des musiques à l'exacte mesure de ses possibilités et lui ouvrira, par ses recommandations et sa réputation, les plus grandes scènes d'Italie.

Et voilà Mozart métamorphosé en porteur de valises, répétiteur, impresario, frappant à toutes les portes pour décrocher des engagements à sa diva d'épouse. On comprend dès lors le post-scriptum d'Anna-Maria, pourtant peu prompte à intervenir :

« Mon très cher mari !

« Tu auras pu voir par cette lettre que lorsque Wolfgang fait une nouvelle connaissance, il prend aussitôt feu et flamme pour ces gens. C'est absolument vrai qu'elle chante merveilleusement. Seulement, il ne faut pas du même coup qu'il en oublie son propre intérêt. Je n'ai jamais beaucoup aimé pour lui la société des Wendling et des Ramm, seulement je ne devais élever aucune objection et il ne m'aurait pas crue. Alors, dès qu'il a connu les Weber, il a changé d'avis. Il aime mieux être avec eux qu'avec moi. *(...)* Tu réfléchiras toi-même à ce qu'il vaut mieux faire. *(...)* J'écris ceci dans le plus grand secret, pendant qu'il est allé manger, car je ne voudrais pas être surprise. »

Pauvre Anna-Maria qui a peur d'être « surprise » par ce fils qu'elle ne reconnaît plus. Un fils qui a renoncé au voyage avec Wendling, qui trouve brusquement vulgaires et sales les heures légères passées avec ses amis, qui compare la pureté d'Aloysia (et combien elle a su jouer de ce registre !) à la légèreté de mœurs d'Augusta Wendling.

Ce qu'il a aimé, applaudi hier encore, Wolfgang le renie tout en bloc. Dans ce courrier, s'il place ses sentiments chrétiens au diapason de ceux des Weber, ce n'est pas uniquement pour attendrir Léopold. Les réflexions qu'il laisse échapper, notamment l'aveu d'avoir entretenu Fridolin et les siens pendant leur périple, prouvent que ses lettres comme ses œuvres sont écrites d'un seul jet.

Et de toute évidence, Fridolin Weber est parvenu à lui inculquer, jusqu'à ce qu'il la fasse sienne, cette image de gens purs, bien-pensants, bien catholiques et bien vertueux, qu'il revendique. Si, dans le milieu musical, on le boude, lui, l'obscur copiste, c'est que ces gens sont sans foi, sans morale et sans vergogne. Leur vie dissolue à la cour a fini par les aveugler, ils ne peuvent plus reconnaître un cœur pur.

Ébloui, Wolfgang se laisse convaincre.

Fallait-il qu'il soit amoureux pour ouvrir son cœur à son père ! Glissant, petit à petit, entre les lignes, l'ébauche de ses projets. Tout d'abord, « ils » veulent partir pour l'Italie : Léopold peut-il intervenir pour les recommander ? Ensuite, il avoue son intention de les accompagner. Et le voici, tout à sa fougue de jeune amoureux, imaginant avec bonheur (un comble) son retour à Salzbourg où il présentera à sa famille l'élue de son cœur...

Car, derrière tous ces projets de voyage, de carrière (pour Aloysia), Wolfgang caresse un nouveau rêve, qui le transporte : il veut épouser Aloysia. Le voici d'ailleurs y préparant Léopold, lui exposant son idée sur le mariage, toujours avec la même fougue, et la même naïveté : « Nous, pauvres gens, nous ne sommes ni nobles, ni hautement bien nés, ni gentilshommes, ni riches, mais tout à fait de basse extraction, méchante et pauvre, et nous n'avons par conséquent aucun besoin de femme riche. Notre richesse s'éteint avec nous, parce que nous l'avons dans la tête... et celle-là, aucun homme ne peut nous la prendre, à moins qu'on ne nous coupe la tête, et dans ce cas nous n'avons plus besoin de rien. »

Wolfgang est éperdu d'amour. Et Léopold aux cent coups. Comment va-t-il réagir ? Il est à Salzbourg. Il a cinquante-huit ans. Depuis vingt années, il a catalysé toute son énergie pour faire de son fils le compositeur le plus talentueux et le plus célèbre de son siècle. Il s'est démené pour lui trouver une place prestigieuse dans les meilleures cours d'Europe, et tout cela pour qu'une va-nu-pieds anéantisse à jamais ses efforts ? Cela ne sera pas.

Léopold – et à ce geste, on mesure sa douloureuse inquiétude – va attendre pour répondre. Prendre son temps pour choisir les mots justes, les arguments percutants. Il lui faut ramener Wolfgang à la raison, ou assister impuissant au naufrage de tout ce qui, à ce jour, a été sa vie et celle de sa famille...

Le 15 février, comme prévu, Wendling et Ramm partent pour Paris. Sans Wolfgang, qui n'a plus en tête qu'une idée fixe : renvoyer vers Salzbourg sa pauvre mère, dernier obstacle à sa passion.

Quelques jours plus tard, la réponse de Léopold – véritable déclaration de guerre – allait déclencher le plus cruel des duels.

Avec, au centre des enjeux, l'inoubliable amour pour Aloysia...

LA FIN D'UN RÊVE

« Oh ! Comme la lumière du soleil
s'assombrit pour moi ! »
Cosi fan tutte.

Comme un grand nombre de batailles, celle qui oppose Aloysia à Léopold débute dans la confusion. Les lettres se croisent, se lisent à contretemps. Chacun décrypte des sous-entendus qui n'y sont pas tout en éludant des questions, des craintes, des angoisses et des souhaits essentiels.

Wolfgang a confessé ses projets et son amour le 4 février dans une lettre aussitôt expédiée. Depuis il attend, angoissé, le cœur serré, l'arrivée de chaque voiture de poste et la réponse de Léopold. Il sait son avenir entre les mains de son père, et la même journée le voit d'humeur allègre, euphorique et enthousiaste ou chagrin et abattu, l'âme bleu de Chine. Mais quelles que soient les heures, ses pas le mènent vers la demeure de sa belle, là où sa partition intime s'envole en trilles agiles, en allegros étourdissants. Comment en serait-il autrement ?

Chez les Weber, on l'attend, on le reçoit comme le Messie. Quel bonheur que leurs regards quand il pousse la porte. Quel accueil ! Tous se pressent autour de lui. Fridolin, le père, Marie-Caecilia, la mère, et les trois sœurs d'Aloysia : Josepha, qui a vingt ans et sait si bien faire la cuisine, Constance, dont personne ne soupçonne qu'elle sera un jour Mme Wolfgang Mozart, et la petite Sophie, bruissante comme une mésange. On rit, on joue aux cartes, on évoque les doux souvenirs de l'escapade à Kirchheim-Boland, car pour eux aussi ce voyage a été un enchantement. Pour la première fois de leur vie, et grâce à Mozart, ils ont été reçus dans une maison princière, ils se sont mêlés au train de vie luxueux, facile et éblouissant de la cour.

Jamais, à Mannheim, la demeure du prince Karl Theodor ne leur avait été ouverte. Fridolin y était tenu en si piètre estime que nul n'avait songé à prêter l'oreille à la délicieuse voix d'Aloysia.

Grâce à Wolfgang, leur médiocre quotidien s'est enfin éclairé d'une lumière : celle de l'espoir. Une fenêtre s'est ouverte et, à travers elle, ils entrevoient les paysages italiens que Wolfgang leur a contés, les routes poudreuses du sud, un avenir ensoleillé.

Désormais, leurs journées sont nimbées de cette brume matinale et printanière, en rubans de carnaval, qui frôle les eaux des canaux de Venise. Leurs rires ressemblent à la musique des envols de pigeons sur la place Saint-Marc, leurs soupirs à celle de la mer, qu'ils n'ont jamais vue.

Encore un peu de patience et, demain, ils auront pour eux les remparts de Vérone, la douceur de ses collines, la lumière si particulière qui tombe sur les pierres dorées des monuments antiques, l'amour des Italiens pour le chant, l'ovation – c'est certain – qu'ils réserveront à Aloysia quand elle apparaîtra sur scène... Quels rêves ! Ce jeune garçon de vingt-deux ans est devenu leur mentor et la solution à tous leurs problèmes. Il peut établir Aloysia et assurer sa carrière. Leur construire des lendemains qui chantent, au sens propre comme au sens figuré !

Alors on le dorlote, on l'admire, on l'écoute, on est suspendu à ses lèvres : ne connaît-il pas son affaire, lui qui a déjà si souvent parcouru le monde ?

Quelle jubilation pour Wolfgang ! Chaque jour qui passe depuis ce retour est tissé de tendres impatiences, et d'intimes bonheurs. Ici, il est regardé comme un homme. On lui fait confiance. Pour la première fois de sa vie, il est traité en adulte responsable. Aux yeux de son père, à ceux de sa mère, de Colloredo, ou des inconnus qu'il croise, il n'est qu'un garçon fantasque et irresponsable, incapable de prendre une bonne décision, de diriger sa vie. Une espèce de prodige irréversiblement immature qu'il faut mener en laisse, bon an mal an, sur les chemins de la vie.

« Ils s'imaginent, parce que je suis petit et jeune, que rien de grand ne peut sortir de moi. »

Et là, chez celle qu'il aime, il est entouré de respect et d'affection, on croit en lui. On lui offre le luxe d'un rêve éveillé, et tous y participent farouchement. Le voilà seigneur, et prêt à prendre sous son aile cette nouvelle famille. D'ailleurs, n'est-ce pas lui qui a réglé la moitié des notes pendant le voyage de Kirchheim-Boland ?

En attendant que Léopold expédie les recommandations indispensables à l'ouverture des salons italiens, Wolfgang continue de faire travailler Aloysia. Tous les jours il est chez elle, développe les immenses possibilités de cette voix qui ne cesse de le ravir. Et puisqu'il ne peut toujours pas composer l'opéra (même italien) qui lui tient à cœur, puisqu'il n'a pas de livret pour l'inspirer, il se lance dans la composition de quelques arias, dont la première de toutes est destinée, bien sûr, à son bel amour.

En revanche, quand il rentre chez lui, l'ambiance n'est plus à l'euphorie. Anna-Maria, abandonnée toute la journée, esseulée, lui ouvre la porte comme le ferait un cerbère. À travers elle, Wolfgang devine tout le ressentiment de Léopold, et pressent le verdict qui ne tardera pas à tomber.

Depuis son retour de Kirchheim-Boland, les relations entre la mère et le fils se sont franchement dégradées. Non que l'on s'agresse, mais c'est pire. Chacun se méfie de l'autre, espionne, dissimule. Wolfgang emploie un ton enjoué, surcharge sa conversation de descriptions dithyrambiques. Les Weber par-ci, Aloysia par-là : il faut à tout prix que sa mère soit acquise à sa cause.

Anna-Maria, de son côté, feint de jouer le jeu. Ensemble on accable les Wendling et leur libertinage. Ensemble on se félicite d'être restés, quelque temps encore, à Mannheim.

Naïf Wolfgang ! Comme toute mère attentive et aimante, Anna-Maria perçoit chacun des états d'âme de son fils. D'autant que celle de Wolfgang est limpide comme une eau de roche. Très vite elle a décelé les premières impatiences, les premiers tourments et les premières joies d'un jeune amour. À défaut d'une grande intelligence, elle possède ce solide bon sens des gens simples, cette sourde intuition de ceux à qui la vie ne fait pas de cadeaux. Et sans oser tout à fait se l'avouer, elle pressent le désastre que serait ce voyage italien au service d'Aloysia.

Mais, pour l'heure, elle s'applique à dissimuler ses sentiments. Habituée depuis toujours à céder les rênes à Léopold, jamais elle n'a osé affronter son fils. Même si elle ne doute pas une seconde de la réaction de son mari, une fois encore ce sera à lui de trancher. Wolfgang, de son côté, tente éperdument de s'en faire une alliée. Il ignore le post-scriptum jeté à la hâte et en cachette au bas de sa lettre, et il se plaît à imaginer que cette mère dont il ne fut jamais proche, que cette épouse si docile va prendre son parti...

Alors, pour étayer ses projets, il lui cite d'illustres exemples. Il lui raconte comment Gluck, aujourd'hui reconnu par l'Europe tout entière, commença sa carrière en jouant du violon dans les bals et les services religieux, profitant de ses pérégrinations italiennes pour écrire des opéras. Il lui rappelle la belle histoire d'amour de leur ami Hasse pour Faustina Bordini, une cantatrice dont il fit sa femme et qui continuait de parcourir l'Italie avec lui, chantant sur les plus prestigieuses scènes d'opéra des musiques qu'il lui écrivait.

Pourquoi échouerait-il là où d'autres, moins talentueux que lui, ont réussi ?

Et l'attente dure, rongeant le moral de Wolfgang. Pour tuer le temps, il renoue même avec la cousinette. Depuis Munich il n'avait plus écrit à la compagne de ses jeux érotiques. C'est le moment de reprendre ce ton enjoué, ébouriffé, et les plaisanteries scatologiques des jours insouciants. Mais pas un moment il n'évoque Aloysia...

Le 5 février, soit le lendemain du jour où il a expédié sa fameuse lettre, Mozart a bien reçu quelques mots de son père, mais ce ne sont pas ceux qu'il espérait si avidement. Léopold – qui n'a pas encore pris connaissance de la première missive – adopte face au départ (qu'il croit imminent) de Wolfgang pour Paris un ton compassé pour déverser ses recommandations, ses conseils, et rappelle à Wolfgang la dette morale qu'il a vis-à-vis de sa famille. Wolfgang lui avait écrit qu'à Salzbourg, chez les siens, il n'avait « jamais été ni heureux, ni malheureux ». La phrase a piqué Léopold au vif. Dès lors, il s'est mis en devoir de dresser, pour mémoire, une liste des bonnes actions entreprises pour le bonheur de sa famille.

« Mon cher fils,

« Tu peux imaginer combien il me pèse de savoir que tu t'éloignes encore plus de moi, mais tu ne peux ressentir le chagrin que j'ai au cœur. Si tu prends la peine de réfléchir à ce que j'ai entrepris avec vous deux, mes enfants, pendant votre tendre jeunesse, tu ne pourras pas m'accuser de pusillanimité et tu reconnaîtras, avec tous les autres, que je suis et ai toujours été un homme qui a le cœur de tout tenter. Mais j'ai toujours agi avec la plus grande prudence et la plus grande réflexion possible. On ne peut rien contre le destin, car seul Dieu connaît l'avenir. Jusqu'à maintenant, nous n'avons certes été ni heureux ni malheureux, cela a toujours été – Dieu merci – dans la moyenne. Nous avons tout tenté pour te rendre plus heureux, et nous avec toi, et pour donner au moins des assises solides à ta vocation ; mais le destin a voulu que nous ne parvenions plus au but. Comme tu le sais, je suis tombé très bas à la suite de notre dernière tentative, ai maintenant une dette d'environ sept cents florins, et ne sais pas comment je nous ferai vivre, maman, ta sœur et moi, avec mon salaire mensuel, puisque je ne peux de ma vie espérer obtenir un seul kreuzer du prince. Tu vois donc clairement que l'avenir de tes vieux parents et de ta sœur chérie, qui t'aime certainement de tout son cœur, repose uniquement entre tes mains. *(...)*

« Tu vas évoluer dans un tout autre monde et ne dois pas penser que c'est par préjugé que je tiens Paris pour un endroit dangereux, au contraire. Pour ce qui est de ma propre expérience, je n'ai aucune raison de considérer cette ville comme un lieu dangereux. Mais ma situation d'alors et la tienne diffèrent totalement. Nous habitions dans un appartement particulier. J'étais un homme mûr et vous étiez des enfants ; j'évitais toute intimité et, note bien, fuyais surtout la familiarité des gens de notre profession. *(...)*

« Tu es un jeune homme de vingt-deux ans, il te manque donc le sérieux de l'âge qui pourrait empêcher un homme, quel que soit son état – aventurier, fanfaron, fraudeur, vieux ou jeune –, de chercher à faire ta connaissance et obtenir ton amitié pour t'attirer dans sa société et, petit à petit, dans ses plans. On s'engage ainsi sans s'en rendre compte, et on ne peut alors plus s'en sortir. Je ne veux pas parler des femmes, c'est là qu'on a besoin de la plus grande prudence et de sagesse, car la nature elle-même est notre ennemie ; et celui qui ne met pas tout son entendement pour parvenir à la retenue nécessaire s'efforce bientôt en vain de sortir du labyrinthe. C'est un malheur qui ne finit généralement qu'avec la mort. Peut-être en as-tu déjà fait l'expérience et constaté combien on est aveugle en face de plaisanteries qui nous semblent, au début, dépourvues de signification, de flatteries, d'amusements, et dont on a honte lorsque l'entendement s'éveille par la suite *(...).* »

Quelle anxiété pour Wolfgang ! Ce poids, sur ses épaules ! Ces responsabilités ! Et ce chantage aux sentiments tombé tellement à propos !

Quelle prémonition a pu dicter ces lignes à Léopold qui ne sait pas encore que son fils veut s'éloigner ? Qu'il est décidé à assurer son bonheur et celui d'Aloysia plutôt que celui des siens ? Un père qui continue de l'imaginer cherchant fortune à Paris. Accédant enfin à ce poste glorieux qu'il n'a jamais pu lui obtenir. Il a ajouté, à sa lettre, une longue liste d'aristocrates chez lesquels Wolfgang doit se présenter dès son arrivée dans la capitale pour leur proposer ses services de professeur de musique. Il lui décrit les marques de politesse « auxquelles les Français sont si sensibles », le « ton courtois et révérencieux », la patience, les compliments dont il devra user dans les maisons où il sera reçu...

C'est un affreux malentendu qui jette Wolfgang sur sa plume pour tenter de redire à son père ses projets. Mais le courage lui manque. Alors il atermoie :

« Je vous ai dit dans ma dernière lettre la raison principale pour laquelle je ne vais pas à Paris avec les autres. La deuxième vient de ce que j'ai réfléchi à ce que je dois faire à Paris. Je ne pourrais arriver à quelque chose que grâce à des élèves, et je ne suis guère né pour ce travail. J'en ai ici un exemple flagrant. J'aurais pu avoir deux élèves. Je suis allé trois fois voir chacun d'eux puis, une fois, l'un d'eux n'était pas là et je me suis donc abstenu. Je veux bien donner des leçons par complaisance, surtout si je vois que quelqu'un a du talent, de la joie et du plaisir à apprendre. Mais devoir aller chez quelqu'un à une certaine heure ou l'attendre chez moi, ça m'est impossible même si cela devait me rapporter beaucoup d'argent. Je ne le peux pas. Je laisse cette tâche à des gens qui ne peuvent faire autre chose que jouer du piano. Je suis un compositeur. Je ne dois ni ne peux enterrer le talent pour la composition que Dieu, dans sa bonté, m'a prodigué de telle manière (je peux le dire sans orgueil car je le ressens plus que jamais). »

Et voilà pour Léopold ! À lui les cours de violon, puisqu'il ne peut faire autrement. Quant à son talent, Wolfgang le rappelle (avec une certaine mauvaise foi d'ailleurs pour tous les soins dont son père l'a entouré durant son enfance), ce n'est pas à lui qu'il le doit. C'est à Dieu et à Dieu seul qu'il doit rendre des comptes, et c'est seul avec Aloysia qu'il envisage son avenir. Et le voilà reparti, enthousiaste et intarissable, sur le chapitre des dons merveilleux de la fameuse Aloysia.

« J'ai oublié, dans ma dernière lettre, le plus grand mérite de Mlle Weber : c'est qu'elle chante *cantabile* de façon superbe. Je vous en prie, n'oubliez pas ce que je vous ai demandé au sujet de l'Italie. Je vous recommande de tout cœur la pauvre mais brave Weberin. *Caldamente*, comme disent les Italiens. Je lui ai donné trois airs de la *De amicis,* et les quatre airs du *Re pastore.* Je lui ai promis de faire venir de la maison quelques airs ; j'espère que vous me ferez le plaisir de me les envoyer, mais gratis, je vous en prie, vous ferez vraiment une bonne action. La liste des airs se trouve sur le lied français que son père a copié. »

Pour Aloysia, rien n'est impossible... Wolfgang dépense toute son énergie (et l'argent de son père) pour lui procurer les partitions qui lui manquent, et compose, pendant ce mois de février où tout son avenir est suspendu à la réponse de Léopold, trois arias de concert, avec un brio proportionnel à l'envie dévorante qu'il a de composer un opéra, fût-il italien plutôt qu'allemand. C'est ainsi que le récitatif en *si* bémol majeur, *Alcandro lo confesso,* et l'aria en *si* bémol majeur, *Non so d'onde viene* (K. 294), verront le jour.

Mais si son amour donne des ailes à son lyrisme, il n'entache en rien sa fabuleuse lucidité musicale. Si la voix d'Aloysia l'enchante, c'est en registres musicaux extrêmement précis qu'elle se traduit. Un point d'importance, car il révèle l'incompréhension totale de Léopold vis-à-vis de son fils : pas plus pour Aloysia que pour une autre femme, Wolfgang ne peut et ne pourra oublier la musique qui l'habite. Il est né pour elle. C'est à elle qu'il consacrera la première place dans son cœur, dans sa vie, dans ses pensées, dans son être tout entier.

Il suffit, pour en être convaincu, de l'écouter raconter comment il a composé son aria pour Aloysia. Avec une intelligence et une concision bien étrangères aux errements qu'instille une fièvre amoureuse :

111

« J'aime qu'un air soit exactement adapté aux moyens de celui qui le chante, comme un habit bien fait. J'ai aussi, comme exercice, refait l'aria *Non so d'onde viene* qui a inspiré à Bach une si belle composition : ma raison était que je connais bien celle-ci, qu'elle me plaît fort, que j'ai donc voulu essayer si, en dépit de tout cela, je ne serais pas en état d'écrire une autre aria qui ne ressemblât en rien à celle de Jean-Chrétien Bach, et de fait, elle ne lui ressemble pas du tout ! Pour cette aria, j'ai pensé d'abord à Raaf, mais le début m'a tout de suite paru trop haut pour sa voix, et il me plaisait trop pour le changer. D'ailleurs il m'a semblé, à cause de la disposition des instruments, convenir mieux à un soprano. Aussi me décidai-je à l'écrire pour la Weberin. Je la laissai dès lors de côté et pris le texte *Se al labbro mio* pour Raaf. Oui, mais ce fut en vain. Il m'aurait été impossible d'écrire ; l'autre aria me revenait toujours dans la tête. Aussi me suis-je mis délibérément à l'écrire, veillant à ce qu'elle fût spécialement faite pour la Weberin. »

Et il court la lui présenter dès qu'elle est terminée. Quel plaisir que de l'entendre chanter, en la regardant, les paroles admirables de cet air merveilleux :

« Je ne sais d'où me viennent cette tendre inclination,
Cette émotion qui m'emplissent subrepticement le cœur,
Ce frisson qui parcourt mes veines :
La compassion ne suffit pas à faire naître en mon sein
Des sentiments si violents et si contraires. »

Quel art dans la dramaturgie et quelle habileté pour glisser, dans la bouche de celle qu'il adore, les paroles qui décrivent ce qu'il n'ose lui avouer : son désarroi devant la violence de ses sentiments, son désir brûlant de lui parler, de la prendre dans ses bras, de lui chuchoter son amour.

Les lettres qu'il adressera plus tard à Aloysia trahissent le respect pétrifié dans lequel il la tient. Il l'a placée sur un piédestal, il la vénère et dépose, en offrande, sa musique à ses pieds.

Une musique frémissante, nuancée, toute pleine déjà, dans ses inflexions, des prémices de cette science subtile de l'âme féminine qu'il exprimera si somptueusement, plus tard, dans ses opéras.

L'aria d'Aloysia mêle l'abattement à l'exaltation. Et c'est sans doute exactement ce que ressent Wolfgang face à elle.

Car enfin, il n'est dit nulle part que sa passion soit partagée, qu'Aloysia réponde à son amour. Jamais il ne raconte à sa mère, ni même à son père (comme il a pu le faire pour la cousinette) qu'Aloysia lui a donné le moindre espoir.

Elle a tout fait pour allumer le feu de sa passion, c'est certain, mais son cœur brûle-t-il à l'unisson de celui de Wolfgang ? Rien n'est moins sûr. Or Wolfgang désire de toute son âme cette réponse, mais sa timidité – et probablement la folle admiration qu'il voue à cette jeune fille – le pétrifient et lui interdisent tout aveu, toute question directe : « Étudiez l'aria vous-même, lui dit-il en guise de demande, chantez-la d'après votre *gusto*, puis faites-la-moi entendre, et je vous dirai alors franchement ce qui me plaira ou me déplaira. »

Qu'a-t-il perçu à l'écoute des accents d'Aloysia ?

« Je retournai chez elle deux jours plus tard et elle me chanta l'aria en s'accompagnant elle-même, exactement comme je souhaitais qu'il fût chanté et comme j'aurais voulu le lui enseigner. »

Mais elle s'est contentée de chanter. Elle ne lui a ouvert ni ses bras, ni son cœur ; et à la griserie de Mozart se mêle un sentiment de souffrance, de doute et d'insatisfaction. Si, comme il l'écrit, il a composé cette aria « de façon qu'elle fût spécialement faite pour la Weberin », alors cette dernière y apparaît sous un jour moins lumineux qu'il ne la présente ou ne la rêve, ce que ressent l'un des historiens de Mozart : Jean-Victor Hocquard conclut en effet qu'au travers de cette aria, Aloysia apparaît « comme une fille fragile, à la fois orgueilleuse et vulnérable, incapable de se donner en toute simplicité, en toute générosité ».

Autant de réserves que Wolfgang ressent sans doute, mais sourdement, inconsciemment. Il aime Aloysia et se bat pour que le monde entier la reconnaisse.

C'est vrai qu'il néglige son travail, mais « on n'est pas toujours disposé à travailler » et ses journées sont absorbées par l'éducation musicale de sa douce Weberin. Il lui apprend un *Andantino cantabile* de Bach tout entier, demande encore à son père de lui envoyer les cadences qu'il a composées jadis. Il organise des « académies » (concerts) chez les uns et les autres, où il invite tous les musiciens de sa connaissance. Il y joue

114

des morceaux de sa composition, mais c'est Aloysia qui chante la majeure partie du temps et qui en constitue la vedette.

Ce que Wolfgang veut, c'est qu'elle soit entendue par un public de professionnels, pour que sa renommée s'étende au-delà des frontières de Mannheim.

« À la fin d'un concert, j'ai improvisé pendant une demi-heure avant que Mlle Weber ne chante, avec force applaudissements. »

Mais pense-t-il sincèrement avoir une chance d'être aimé en retour ? Pourquoi le maintient-elle dans cet état d'adoration, de vénération absolue ? Pourquoi jamais une main tendue, jamais un rendez-vous, jamais un seul tête-à-tête depuis le retour de Kirchheim-Boland ? Pourquoi ce besoin de reprendre sa correspondance avec la Bäsle ?

Et pourquoi, encore, Wolfgang passe-t-il presque toujours par Fridolin pour communiquer avec elle ? Très certainement parce que l'idée du mariage obsède ses parents. Plus tard, Nissen, le deuxième mari de Constance Mozart, témoignera du désir qu'avait Fridolin Weber d'unir « ces deux-là »... Du moins à l'époque où Wolfgang était encore la clé de leur prison...

Donc, on travaille, on bâtit des châteaux en Espagne et on attend.

Wolfgang chez les Weber, Anna-Maria, toujours seule, dans sa chambre, rêvant de plus en plus à

Salzbourg. Chaque jour qui passe efface de sa mémoire sa proposition, étourdiment faite, d'accompagner son fils à Paris. Aujourd'hui, elle demande instamment à Léopold de lui organiser son retour. Tout son être tend vers cette heure où les sabots de son attelage claqueront enfin sur les pavés de la Makartplatz. Où, à travers la vitre de la voiture, elle apercevra la grande et blonde façade de sa maison. Alors la frêle silhouette de Nannerl trouera le rectangle d'ombre de la porte. Et enfin, enfin, elle pourra presser sur son cœur son cher mari, sa chère fille, retrouver ses fauvettes et Pimperl, le gentil fox-terrier, courir dans sa maison, ouvrir ses placards, préparer le dîner familial, manger enfin à sa table et saluer ses amis... Ah ! Dieu, qu'ils lui manquent tous !

Le 15 février, l'attente prend fin. Wolfgang reçoit enfin la réponse de son père, rédigée trois jours plus tôt. C'est la foudre qui tombe sur le paradis...

– 6 –

LA TRISTESSE DE LA SÉPARATION

« Il n'y a de place dans mon cœur
que pour l'envie de pleurer. »

La lettre est d'une violence absolue, mêlant menaces et souvenirs, railleries et supplications. L'amour de Wolfgang, son désir de liberté, ses projets de voyage, Léopold les lui interdit. Il piétine sa passion. Pis, il s'en gausse. Pendant qu'il écrit les premières lignes, il parvient encore à se contenir. Il tente le dialogue, le langage de la raison, la négociation. Mais petit à petit on sent la rage monter en lui, jusqu'à l'étouffer, jusqu'à balayer tout souci de diplomatie ou de conciliation. L'humiliation, la volonté de briser une éventuelle résistance explosent et révèlent toute la violence de cet être rompu aux intrigues et aux courbettes, une violence que l'on aurait pu croire noyée par cinquante-huit années d'aliénation, de courtisanerie, et qui, sous le coup de la fureur, remonte à la surface.

L'idée de Wolfgang manque de le rendre fou. Il prend le Ciel et sa fille à témoin. Il rage, elle pleure. Et dans les dernières lignes tout n'est plus qu'injonctions, ordres, diktats...

La lettre est longue. Mais il est impossible de la tronquer, dans la mesure où son souvenir mordra cruellement Wolfgang au plus vif de son amour-propre. Enfoncée telle une flèche empoisonnée dans sa sensibilité, elle est le point de départ d'un processus irréversible de rupture. Avec sa mère tout d'abord. Avec son père surtout, parce que cette réponse, quel que soit son bien-fondé, amorce la lente mais irrémédiable divergence de points de vue, de desseins, mais aussi de destinées entre eux.

Léopold l'ignore, mais c'est avec cette lettre qu'il donne le premier coup de rasoir dans le cordon ombilical, pourtant solide comme l'acier, qui le liait encore à son fils...

« Mon cher fils !

« J'ai lu avec étonnement et frayeur ta lettre du 4. Je commence à y répondre aujourd'hui, le 11. J'ai passé la nuit sans pouvoir fermer l'œil et suis tellement épuisé que je peux à peine écrire lentement, mot après mot, et devrai la finir avant demain. J'étais toujours en bonne santé, Dieu soit loué ; mais cette lettre – dans laquelle je ne reconnais mon fils qu'à son erreur de croire tout ce que disent les gens, d'ouvrir son bon cœur à toutes les flatteries et belles paroles, de se laisser manipuler de bon gré par toutes les chimères qu'on lui avance et de se laisser conduire par des idées insensées et mal considérées, à sacrifier son propre renom et ses avantages, voire même celui de ses vieux et honnêtes parents –, cette lettre m'a d'autant plus abattu que j'avais le solide espoir que certaines expériences antérieures alliées à mes conseils, de vive voix et par écrit, t'avaient convaincu que pour faire son bonheur, ou simplement pour survivre en ce monde et atteindre son but malgré tous les gens qui nous entourent, bons, méchants, heureux ou malheureux, on doit cacher son bon cœur sous une réserve extrême, ne rien entreprendre sans réfléchir profondément et ne jamais se laisser emporter par l'enthousiasme subit ou par des idées approximatives et aveugles. Je t'en prie, mon cher fils, lis cette lettre avec soin, prends le temps de la lire en réfléchissant. Grand Dieu, les moments de bonheur sont passés où, lorsque tu étais enfant et petit garçon, tu n'allais jamais te coucher sans me chanter, debout sur une chaise, *oragna figata fa*, ni m'embrasser, très souvent, sur le bout du nez et me dire que lorsque je serais vieux, tu me mettrais sous un globe de verre fermé, pour me protéger de l'air et me garder toujours avec toi et me rendre honneur. Écoute-moi donc patiemment ! Tu connais parfaitement ma triste situation à Salzbourg. Tu sais que je gagne mal ma vie, pourquoi j'ai tenu ma promesse en te laissant partir, et tous mes ennuis. Ton voyage tenait à deux raisons : soit à chercher un bon et solide emploi, soit, si cela échouait, à te rendre dans une grande ville où l'on peut gagner beaucoup. Ces deux plans étaient destinés à soutenir tes parents et ta sœur chérie, et surtout à te faire honneur dans le monde : cela a commencé dans ton enfance et en partie dans ta jeunesse, mais maintenant il ne dépend que de toi de t'élever petit à petit à une célébrité suprême qu'aucun musicien n'a jamais connue. Tu le dois aux talents extraordinaires que tu as reçus du Bon Dieu. Il ne dépend que de la sagesse et de la manière de vivre de finir comme un musicien ordinaire que tout le monde oubliera ou comme un célèbre maître de chapelle sur lequel on continuera à écrire des livres ; si tu veux mourir sur un sac de paille, prisonnier d'une femme et dans une pièce remplie d'enfants miséreux, ou plutôt heureux et honoré, après une vie chrétienne, ayant assuré le confort de ta famille et acquis le respect de tous.

« Ton voyage te conduisit à Munich dans le but que tu sais – il n'y eut rien à faire. Des amis bien-pensants souhaitaient te garder – tu souhaitais y rester : on se mit à envisager de fonder une société, je n'ai pas besoin de te rappeler les détails. Sur le moment, l'idée te séduisit ; pas moi – lis ce que je t'ai répondu. Tu tiens à ton honneur. Si cela s'était fait, crois-tu que tu te serais fait honneur de dépendre chaque mois de leur charité ? Tu étais alors étonnamment séduit par la petite chanteuse du théâtre et n'avais envie de servir que le théâtre allemand ; et tu m'écris maintenant que tu ne souhaites même pas composer un opéra comique. À peine avais-tu passé les portes de la ville que – comme je te l'avais prédit – ta société d'amis souscripteurs t'avait oublié. Et que se serait-il passé à

Munich ? On finit toujours par reconnaître la providence divine.

« À Augsbourg, tu as également eu une petite aventure, tu t'es bien amusé avec la fille de mon frère, qui a dû de son côté t'envoyer son portrait. Je vous ai écrit à la suite dans une de mes premières lettres adressée à Mannheim. À Wallenstein, tu as fait mille plaisanteries, saisi ton violon, dansé et joué, et l'on te décrivit aux personnes absentes comme un joyeux drille. *(...)* À Mannheim, tu as très bien fait d'acquérir les grâces de M. Cannabich. Mais cela n'aurait servi à rien s'il n'en avait tiré un double avantage. La fille de M. Cannabich fut alors couverte d'éloges, tu fis le portrait de son tempérament dans l'Adagio de la sonate, bref, elle était la favorite. Puis tu fis la connaissance de M. Wendling. Ce fut lui le meilleur ami, et je n'ai pas besoin de te rappeler ce qui se passa alors. Tout à coup tu fais une nouvelle connaissance, celle de M. Weber, et tu oublies alors tout le reste, cette famille est désormais la plus honnête famille chrétienne, et la fille est le principal personnage de la tragédie qui se joue entre sa famille et la tienne. Et dans l'ivresse où te plonge ton bon cœur grand ouvert, tu considères que ce que tu t'es imaginé, sans trop y réfléchir, est raisonnable et réalisable, comme si cela allait de soi.

« Tu envisages de l'emmener en Italie comme prima donna. Dis-moi si tu connais une seule prima donna qui ait foulé les planches d'un théâtre italien sans avoir souvent récité en Allemagne ? Combien d'opéras la signora Bernasconi n'a-t-elle pas récités à Vienne – des opéras extrêmement passionnés – sous la critique et les conseils sévères de Gluck et de Calzabigi ? Combien d'opéras ne chanta pas Mlle Teyber à Vienne, sous la direction de Hasse – et grâce aux leçons de la vieille chanteuse et célèbre actrice, signora Tesi, que tu as vue chez le prince Kildburghausen et dont tu embrassas la négresse lorsque tu étais enfant ? Combien de fois Mlle Schindler n'a-t-elle pas récité sur un théâtre viennois, après avoir débuté à l'opéra privé sur les terres du baron Fries et après avoir reçu les leçons de Hasse, de la Tesi et de Metastasio ? Est-ce que ces personnes auraient osé affronter le public italien ? – Et de quelles protections et recommandations puissantes n'ont-elles pas eu besoin pour parvenir à leur but ? – Des princes et des comtes les recommandèrent, et de célèbres compositeurs et poètes ne garantirent-ils pas leurs talents ? Et tu veux maintenant que j'écrive à Lugiati ? Tu serais prêt à écrire un opéra pour cinquante ducats alors que tu sais pertinemment que les Véronais n'ont pas d'argent et ne commandent jamais de nouvel opéra ? Je dois penser à Venise alors que Michele Dall'Agata n'a même pas répondu à mes deux dernières lettres ? Je veux bien que Mlle Weber chante comme une Gabrielli ; qu'elle ait une voix puissante pour le théâtre italien, etc., qu'elle ait l'allure d'une prima donna, etc. Mais il est ridicule que tu t'engages pour son action, il en faut plus, et les démarches puériles et purement amicales entreprises par le vieux Hasse pour miss Davies lui fermèrent à jamais la porte des théâtres italiens, après qu'elle eut été sifflée le premier soir et eut dû abandonner son rôle à la De Amicis. Et non seulement les femmes, mais également les hommes de théâtre bien rodés tremblent avant leur entrée sur une scène étrangère. Crois-tu que cela soit tout ? En aucun cas, *ci vuole il posesso del teatro* (il faut avoir une présence scénique), surtout pour une femme, en ce qui concerne sa mise, sa coiffure, ses bijoux. Mais tu le sais bien, si tu veux seulement y songer ; je sais que si tu y réfléchis, tu seras convaincu que ton idée partait certes d'une bonne intention, mais qu'elle a besoin de temps et de longs préparatifs, qu'il faut choisir une autre voie pour la réaliser avec une longue patience. Quel impresario ne rirait pas si on lui recommandait une jeune fille de seize ou dix-sept ans qui n'a jamais joué sur aucune scène ? Ton idée (je peux à peine écrire quand j'y pense), l'idée de faire des tournées avec M. Weber et, note bien, deux filles, a failli me rendre fou. Mon cher fils ! Comment peux-tu être séduit, serait-ce même une heure, par une idée aussi saugrenue qu'on t'a mise en tête ? Ta lettre n'est qu'un roman. Et pourrais-tu vraiment te décider à parcourir le monde avec des étrangers ? À laisser tomber ta réputation, tes vieux parents et ta chère sœur ? À m'exposer aux moqueries et à la risée du prince et de toute la ville qui t'aime ? Oui, à t'attirer la moquerie et le mépris de tous alors que j'ai déjà dit à tout le monde, lorsqu'on me le demandait, que tu irais à Paris ; et finalement, tu voudrais voyager au petit bonheur avec des étrangers ? Non, tu ne peux y songer si tu réfléchis un tant soit peu.

« Mais pour être convaincu de ta précipitation, sache que le moment est venu où aucun homme raisonnable ne pourrait songer à cela. Les circonstances veulent qu'on ignore même si la guerre ne va pas éclater, où les régiments sont soit en marche, soit en passe de s'y mettre. En Suisse ? En Hollande ? Il n'y a pas un chat en été ; et en hiver, à Berne ou à Munich, on gagne juste assez pour ne pas mourir de faim ; sinon, il n'y a personne nulle part. Qu'en serait-il alors de ta gloire ? C'est une affaire pour les petits esprits, pour les compositeurs ratés, pour les gribouilleurs, pour des Schwindl, Zappa et compagnie... Cite-moi un seul compositeur qui s'honorerait d'une démarche aussi lamentable ! Va à Paris ! et bientôt. Prends place auprès des grands seigneurs, *aut Caesar aut nihil* (sans César il n'y a rien). La seule idée de voir Paris aurait dû t'empêcher d'avoir des idées aussi futiles. C'est de Paris que le renom et la gloire d'un homme de grand talent parviennent au monde entier, la noblesse y considère les gens de talent avec la plus grande déférence, estime et courtoisie, on y découvre une manière de vivre qui contraste étonnamment avec la grossièreté de nos gentilshommes et dames allemands, et c'est là que tu te perfectionneras en français. Pour ce qui est de la compagnie de Wendling, etc., tu n'en as pas besoin. Il y a longtemps que tu les connais ; maman ne l'a-t-elle pas constaté, étiez-vous aveugles tous les deux ? Non, je sais ce qu'il en était : tu t'étais entiché d'eux et maman ne devait pas s'y opposer. Je suis mécontent que vous manquiez tous deux de confiance et de franchise en ne me rendant pas fidèlement compte de tout en détail ; vous avez agi ainsi au sujet du prince électeur et à la fin vous avez bien dû tout avouer. Vous vouliez m'éviter des soucis, et finalement vous me déversez à pleins seaux une foule d'ennuis sur la tête, qui me font presque mourir. Vous savez, et vous en avez eu mille preuves, que le Bon Dieu m'a donné une solide sagesse et que j'ai encore la tête sur les épaules, que j'ai souvent trouvé une issue favorable aux affaires les plus troubles et souvent deviné et prédit bien des choses : qu'est-ce qui a bien pu vous empêcher de me demander conseil et de suivre toujours mes idées ? Mon fils, tu dois plus me considérer comme ton meilleur ami que comme un père sévère. Réfléchis si je ne t'ai pas toujours traité avec amitié et servi comme un domestique, si je ne t'ai pas toujours procuré toutes les distractions possibles et si je ne t'ai pas bien souvent aidé à jouir des plaisirs honorables et honnêtes, généralement à mon propre désavantage ? Sans doute M. Wendling sera-t-il déjà parti ? Bien que j'aie été à demi mourant, j'ai tout considéré et organisé quant à ton voyage à Paris. M. Arbauer, un célèbre commerçant d'Augsbourg et de Francfort, est actuellement chez son correspondant allemand à Paris et y reste tout le Carême. Le 23, je lui écrirai et vous informerai en détail par le même courrier de ce que vous devrez faire, ce que le voyage coûtera approximativement, et vous adresserai une lettre ouverte à lui remettre à votre arrivée, puisque M. Arbauer sera informé de votre venue.

« Cette cochonnerie m'a valu quelques nuits d'insomnies. Dès que vous recevrez cette lettre, je veux que vous m'écriviez combien d'argent vous avez encore en main. J'espère que tu peux vraiment compter sur les deux cents florins (de M. Dejean). J'ai été étonné que tu écrives que tu voulais composer désormais bien commodément la musique pour M. Dejean. Ne l'as-tu pas encore livrée, alors que tu pensais partir le 15 février ? Et tu es malgré tout allé te promener à Kirchheim. Et tu as emmené Mlle Weber afin de gagner moins, puisque la princesse devait remercier deux personnes alors que tu aurais reçu le tout pour toi, mais ça ne fait rien. Grand Dieu ! Si M. Wendling te joue maintenant un tour et que M. Dejean ne tient pas sa parole, puisque le contrat prévoyait que tu attendes pour partir avec eux ! Donne-moi des nouvelles par le prochain courrier, afin que je sache où en sont les choses. (...) Tu dois avant tout penser de toute ton âme au bien de tes parents, sinon ton âme ira au diable.

« Pense à moi, lorsque tu m'as vu si misérable près de la voiture au moment de votre départ, après que j'eus fait les bagages jusqu'à deux heures du matin, alors que j'étais malade et étais dès six heures près de la voiture pour tout organiser pour toi – et cause-moi des soucis si tu en as la cruauté ! Gagne à Paris célébrité et argent, et si tu as de l'argent, tu pourras alors aller en Italie et y obtenir d'écrire un opéra. Cela n'ira guère en écrivant des lettres aux impresarii, bien que je l'essaye toujours ; tu pourras alors proposer Mlle Weber. On obtient plus de vive voix ! Écrivez-moi sans faute au prochain courrier. Nous vous embrassons tous deux des millions de fois et je suis ton vieux et honnête père. »

Et, en double post-scriptum :

« Nannerl a pleuré à chaudes larmes ces deux derniers jours.

« Addio.

« Maman ira à Paris avec Wolfgang pour vous installer convenablement. »

C'en est assez, c'en est trop aux yeux de Wolfgang pour ne pas le révulser, l'écœurer. Ce ton qui oscille en permanence entre le chantage affectif et l'injonction pure et simple. Ces allusions grossières aux « aventures » de Wolfgang, le mois passé, pour mieux réduire le sentiment du jeune homme à une vétille sans importance, une bouffée de chaleur comme celle dont il fit preuve avec la cousinette. Et cette façon de railler brusquement l'histoire avec la Bäsle sur un ton de moralisateur blessé, quand, quelques semaines plus tôt, il en riait grassement avec Nannerl, Anna-Maria et son propre fils !

Et puis confondre son désir d'écrire un opéra allemand, désir qu'il possédait depuis plusieurs années et dont il a maintes fois témoigné, avec le léger penchant, l'émotion incontestable qu'il éprouva pour cette jeune cantatrice de Munich ! (Au point, nous l'avons dit, de chercher à l'approcher, sans y parvenir...)

Quelle ironie, quelle cruauté de la part d'un être qui se prétend son complice avant même d'être son père ! Et que dire de cette écœurante façon de mêler les souvenirs d'enfance et les problèmes d'argent ! De tendre les gestes d'affection comme autant de pièges. D'exiger un choix, d'imposer à Wolfgang l'idée que son amour est impur, sale, condamnable (si tu choisis Aloysia, ton âme ira au diable), puisqu'il assassine Léopold et précipitera immanquablement les Mozart vers la mort.

Ce n'est pas à un fils de vingt-deux ans qu'il s'adresse, ce n'est pas à un homme désemparé, c'est à un enfant qui lui appartient corps et âme, et dont il a définitivement tracé la route. Il le lui dit clairement : son honneur, son bonheur de chrétien, c'est de pourvoir à l'avenir de ses parents, et non de prendre femme et d'engendrer une horde « d'enfants miséreux ». De toute évidence, ce n'est pas uniquement Aloysia que Léopold rejette. C'est, à travers elle, toutes les femmes qui pourraient lui voler son fils et l'écarter de ses ambitions propres, fussent-elles contraires aux désirs d'écriture et de liberté de Wolfgang.

Ce combat il le reprendra, décuplé en force et en violence, quelques années plus tard, quand Wolfgang voudra se libérer de son autorité et du joug imposé par Colloredo, puis quand il souhaitera épouser Constance, la jeune sœur d'Aloysia.

Mais en ce mois de février 1778, lorsque Léopold, dans sa lettre, demande à son fils de réfléchir et de bien peser sa décision, il ne s'agit que d'une figure de style. En fait il interdit toute alternative et ordonne : « Va à Paris ! »

Wolfgang est un irresponsable, un fou, un pitre. « Ton caractère s'est complètement modifié depuis ton enfance. Étant enfant et adolescent, tu étais plus sérieux que puéril. *(...)* Maintenant, j'ai l'impression que tu es trop vite prêt à répondre à quiconque sur un ton plaisantin. Tu offres ton cœur à qui te fait des louanges et tu ne vois plus leurs défauts. Lorsque tu étais enfant, tu étais trop modeste et te mettais parfois à pleurer lorsqu'on te faisait trop de compliments. »

Enfant, enfant, enfant... Le mot revient comme une litanie obsédante, humiliante, car Wolfgang n'est plus un enfant, quand bien même les coups du sort ne sont pas encore parvenus à l'aigrir.

C'est là la regrettable confusion de Léopold : pour lui l'expérience c'est l'aigreur, la méchanceté, la méfiance. C'est apprendre à s'abaisser, à courtiser, à cultiver uniquement les relations qui peuvent rapporter. Autant de soumissions dont Mozart est parfaitement incapable et contre lesquelles il finira par se rebeller violemment.

Longtemps, les biographes ont accablé Léopold pour sa permanente et effrayante immixtion dans la vie de son fils. La tentation était grande de placer leurs relations sous un éclairage freudien : le père abusif, dictatorial, dans l'ombre duquel Wolfgang se débat pour affirmer sa personnalité et construire son image, jusqu'à nourrir des pulsions de meurtre. Don Juan était là pour justifier ce transfert.

Mais si cette analyse s'appuie sur un fondement bien réel, elle a le défaut d'occulter un point d'importance : le contexte historique...

Bien sûr, l'ingérence du père dans les affaires (toutes les affaires, même sentimentales) de Wolfgang est flagrante. Bien sûr Léopold oublie un peu trop souvent ses propres échecs et ne songe jamais à remettre en cause ses principes d'éducation. Bien sûr il y a, en résultat tangible de sa politique familiale, une infantilisation systématique de ceux qui l'entourent. Anna-Maria, nous l'avons vu. Wolfgang, qui restera toute sa vie parfaitement inapte à gérer le quotidien et le matériel. Et Nannerl, toujours célibataire à vingt-six ans.

Bien sûr aussi, Léopold semble avoir toujours agi comme si la cellule familiale qu'il a créée devait se pétrifier dans l'âge d'or que fut l'enfance de Nannerl et de Wolfgang. De toute évidence il refuse à ses enfants d'autres histoires, d'autres aventures que celles conçues dans la stricte et indissociable cellule Mozart.

Mais faut-il pour autant glisser sur le passé de Léopold, révélateur de ce comportement qui nous paraît si choquant aujourd'hui ?

Mal né à une époque où les classes sociales sont parfaitement étanches, où le seul mérite tient au nom, il a appris, dès l'enfance, à ruser pour parvenir à se hisser de la misère à la petite bourgeoisie.

Fils aîné d'une famille nombreuse, obscure et totalement désargentée, Léopold a pour parrain un chanoine de la cathédrale d'Augsbourg. L'enfant est intelligent. Le chanoine, avisé, va le prendre sous sa coupe, avec une ambition nettement déclarée : que son filleul embrasse, plus tard, le sacerdoce. C'est à cette unique mais incontournable condition qu'il offre des études à Léopold. Il le fait donc entrer au collège bénédictin de Saint-Ulrich. Là on lui enseigne le grec, le latin mais aussi le chant, l'orgue et la composition, disciplines alors indispensables à toute carrière ecclésiastique.

Et très vite Léopold pressent qu'il ne sera jamais prêtre. Mais plutôt que de décevoir son parrain au risque d'être renvoyé à ses parents incultes et misérables, il tait son refus et feint de se plier aux désirs du chanoine. Dirigé, toujours par protection, vers Salzbourg pour suivre des études de théologie, il y étudie en cachette le droit : une déviation insupportable aux yeux du chanoine qui lui coupe les vivres, le contraignant, pour survivre, à entrer, en 1740, au service du comte Thurn und Taxis, au titre de domestique.

Or c'est un temps où le moindre valet de chambre se doit de posséder des rudiments de musique. Comme il se sait, grâce à son parrain, quelques talents dans ce domaine, il devine que le chemin qui lui permettra de se hisser à la condition de notable passe par là. Il compose donc, avec force ronds de jambes et phrases ampoulées, quelques œuvres qu'il dédie à ce maître, « paternel soleil, dont les effets bienfaisants m'ont, d'un coup, tiré de la pénible et obscure nécessité où je vivais ».

Ce qui ne l'empêche nullement, lorsque l'occasion se présente, d'entrer en qualité de quatrième violon au service du prince-archevêque, et d'abandonner froidement son « paternel soleil »...

Arriviste forcené, Léopold ? Bien sûr. Mais de quelle autre solution disposait-il pour s'élever sur l'échelle sociale ? De quels autres itinéraires auraient-ils pu rêver, en cette époque d'absolutisme, lui et tous les êtres de mérite que leur naissance menait tout droit à la condition de domestique ? Et puis quels exemples avaient-ils tous sous les yeux, hormis ceux d'une aristocratie intriguant tout autant pour l'octroi de pensions, de nominations, de titres auprès du tout-puissant prince électeur ?

Léopold est parvenu au plus haut de ce qu'il pouvait atteindre. Mais il est ambitieux, stigmatisé par la solitude de son enfance, humilié par les reptations auxquelles il s'est livré pour acquérir au moins un peu d'instruction.

Dès lors on mesure mieux son bonheur lorsqu'il découvre que ses deux enfants (les deux seuls qui survivront sur les sept que Anna-Maria mettra au monde) sont pourvus de dons quasiment merveilleux. Désormais c'est sur eux, et plus particulièrement sur son prodige de fils, qu'il va pouvoir reporter ses ambitions et toute sa fièvre de respectabilité. Et dans le contexte historique qui est le leur, l'enjeu est d'importance.

Au XVIIIe siècle, est-il nécessaire de le rappeler, il n'existe ni protection sociale, ni retraite, ni pensions d'aucune sorte, hormis celles versées par les aristocrates suivant la sacro-sainte règle du bon vouloir.

Chez les humbles, la famille est alors le seul soutien et le seul havre possible. Les parents pourvoient à l'éducation de leurs enfants qui, plus tard, les prennent en charge. Il n'y a donc rien de monstrueux ni d'anormal dans l'attitude de Léopold lorsqu'il rappelle ses devoirs à Wolfgang. S'il n'oublie pas la gloire de son fils, c'est aussi parce qu'elle doit rejaillir, en renom et en fortune, sur le clan.

Pour parvenir à ce but, Léopold prend des engagements. Il s'endette et se saigne aux quatre veines pour faciliter « l'installation » de Wolfgang. On ne peut pas nier l'immense amour qu'il lui porte. Il l'aime plus que Anna-Maria, qu'il lui sacrifiera ; plus que Nannerl, qui s'échine à donner des leçons pour payer les voyages de son frère, plus que lui-même, on ne peut pas en douter. Il l'aime à la fois comme un père et comme une mère. C'est lui qui le veillait lorsque, enfant, il tombait malade, et Dieu sait s'il le fut ! Scarlatine, variole, fluxions, fièvres cérébrales. Jour et nuit il restait penché sur la frêle silhouette. Dépensait sans compter pour faire dire des messes (bien plus que pour Nannerl). Appelait les médecins, priait Dieu et tous ses saints. C'est lui qui veillait à son confort pendant les premiers voyages, à la régularité des nuits de sommeil, à la qualité de la nourriture et des vêtements. Ses lettres abondent en détails sur le sujet. Wolfgang est toute sa vie, toute sa passion, même s'il lui est impossible de comprendre le cœur de son fils et ses raisons tellement étrangères à son univers...

Quel que soit le fond de la lettre, comment s'empêcher d'être ému en l'écoutant évoquer ce départ de Salzbourg ? Pour Wolfgang, il s'est privé de la présence d'Anna-Maria. Pour lui, il a quitté son lit alors qu'il était malade et préparé ses malles jusqu'à deux heures du matin, veillant à ce que rien ne lui manque. Il s'est levé à l'aube pour s'assurer du bon état de la voiture. Il a pleuré, oui. On ne peut contester ni ses larmes, ni son désarroi. Pour Wolfgang, il a été patient au-delà du raisonnable. Il s'est mis à dos Colloredo, son maître et sa seule ressource. Il s'est humilié devant les princes et les aristocrates, prêt à tout subir et à tout endurer pour que son fils décroche enfin ce poste prestigieux dont il rêve pour lui.

Et maintenant, qu'apprend-il ? Que Wolfgang veut ruiner tous ses patients efforts pour faire le bonheur d'une jeune donzelle totalement inconnue dans le monde de la musique ?

A-t-il vraiment tort de rappeler son fils à la raison, même s'il le fait maladroitement, même si l'on ne dit plus à un adolescent de vingt-deux ans, un homme déjà, que ses idées sont des « cochonneries » ? Léopold est maladroit sur la forme, mais juste sur le fond. Car enfin, que reproche-t-il à Wolfgang ? D'abandonner toutes ses ambitions : c'est indiscutable. Qu'il faut mettre en doute la sincérité des sentiments de la famille Weber, laquelle ne voit que son propre intérêt : c'est incontestable. Les exemples qu'il énumère avec une précision d'apothicaire sont-ils inventés ? Non : les difficultés, les obstacles innombrables et ardus que doivent surmonter les cantatrices de l'époque pour s'imposer sont parfaitement réels, et de notoriété publique. Et ils éclairent d'un éclat insoutenable les manœuvres de Fridolin et de sa femme qui savent que pour mettre toutes les chances de son côté, Aloysia a besoin d'un compositeur de renom, d'un maître de musique et d'un musicien bien introduits dans toutes les cours européennes. D'une certaine manière, Wolfgang est tout cela. Mieux que personne, il peut la faire progresser. Son génie, son jugement, son amour aussi doivent la porter vers ces sommets qu'elle atteindra d'ailleurs, fort peu de temps après, riche de ces semaines d'enseignement intensif que Wolfgang lui dispense au détriment de ses propres intérêts.

D'ailleurs Léopold ne demande à aucun moment à son fils de renoncer définitivement à Aloysia. Plus finement, il se sert de cet amour pour consolider l'ambition défaillante de Wolfgang : s'il désire réellement servir la cause de sa bien-aimée, il doit d'abord s'imposer. Devenir riche. Se faire un nom. Alors toutes les portes lui seront ouvertes, et si largement qu'il n'aura qu'à tendre la main pour prendre celle d'Aloysia et lui faire partager sa gloire.

Il ne lui demande pas d'y renoncer. Il lui demande de la quitter. Tout de suite. Pour chercher fortune à Paris. Et cette ville qu'hier encore il dépeignait comme le pire coupe-gorge de la planète, un lieu de perdition peuplé de bandits et de catins, devient brusquement la capitale du savoir-vivre, du savoir-penser et de la musique...

On le voit, Léopold, en tout cela, est excusable. Pour son amour, pour le souci que lui cause cet enfant fantasque. Pour la réelle difficulté financière dans laquelle il s'est enfoncé, mois après mois, pour financer les rêves de Wolfgang. Même s'il commet la faute incompréhensible – et impardonnable aux yeux de son fils – de mésestimer son amour pour Aloysia. Pis, de rabaisser cette première et irradiante passion à un simple coup de cœur.

En fait la grande, la seule, peut-être même l'inexcusable erreur de Léopold tient à son total aveuglement sur les « qualités » musicales de son fils.

Pourquoi ce père dont le jugement est sûr et qui restera l'interlocuteur privilégié de Wolfgang – jusqu'au bout ce dernier lui demandera conseil et lui exposera ses ambitions d'écriture –, pourquoi et comment ce père omniprésent n'a-t-il jamais tout à fait perçu le génie infini de son fils ? Comment n'a-t-il jamais deviné que cette force intérieure qui l'habite nuit et jour, qui le presse de composer, est irréductible ? Que pour lui la musique est un besoin impérieux, une évidence, et que rien ne pourra jamais l'en détourner, puisque l'amour parvient à peine à l'en distraire ? Car enfin, jamais Wolfgang n'a envisagé – même auprès d'Aloysia, les sens grisés par son parfum, par son rire, par sa voix surtout, par son chant – de renoncer à sa carrière. Il pouvait prétendre à un poste de fonctionnaire pour nourrir cette famille et épouser Aloysia. Il pouvait donner des leçons « qui pourraient lui rapporter beaucoup d'argent ». Il ne le fait pas.

S'il renonce (provisoirement) à l'écriture d'un opéra allemand c'est pour un opéra italien, pas pour « se prostituer », comme il le dit lui-même quand il lui faut exhiber sa virtuosité au piano...

D'ailleurs lorsque Dejean, un riche commerçant hollandais résidant à Mannheim, lui commande des concertos pour flûte en exigeant des partitions faciles et courtes, Wolfgang, bien qu'il déclare détester la flûte, bien qu'il s'agisse d'une commande « alimentaire », ne peut contraindre son génie : il compose une œuvre – le *Concerto en sol* (K. 313) et trois quatuors en *ré* (K. 285), en *sol* (K. 285a) et en *ut* (K. 285b) – complexe, superbe, riche et joyeuse, où éclate tout son naturel, c'est-à-dire, selon Jean-Victor Hocquard, « un jaillissement mélodique incoercible ». (Déçu, Dejean, pour qui les partitions sont trop difficiles, ne paiera dès lors qu'une partie de la somme promise...)

Et c'est là, sans aucun doute, qu'il faut trouver l'explication de la totale reddition de Wolfgang. Comprendre son incroyable docilité. Dès qu'il reçoit la lettre de Léopold, il se soumet. Comment, il aime Aloysia et il accepte de la quitter sans la moindre résistance ? Il va renier, sans une hésitation, les promesses de voyage qu'il lui a faites ? Éteindre la lumière dont ces projets le nimbaient aux yeux des Weber ? Wolfgang Amadeus

Mozart, si fier de son nom, si pointilleux sur son honneur, capitule ?

« Mon très cher père !

« J'espère que vous avez bien reçu mes deux dernières lettres. Dans la dernière, je me suis inquiété du retour de ma mère à la maison, mais d'après votre lettre du 12 je constate que c'était inutile. Je ne me suis jamais imaginé autre chose que votre réprobation au sujet du voyage avec les Weber, car, dans notre situation actuelle, cela s'entend, je n'ai pas un instant pensé l'entreprendre : mais j'avais donné ma parole d'honneur que je vous écrirais. M. Weber ne connaît pas l'état de nos finances, je n'en parle bien sûr à personne. »

Vrai, faux ? Vrai, sans aucun doute. Wolfgang est généreux. Wolfgang ne se plaint jamais. Wolfgang évoque trop souvent l'honneur de son nom pour prétendre dévoiler le moindre détail sur ses contraintes matérielles. Et, nous l'avons dit, pourquoi l'aurait-il fait ? Jouer les grands seigneurs chez les Weber lui apportait un sentiment de bonheur, de confort moral qu'il n'avait jamais ressenti. On l'accueillait comme on accueillait un prince. Fridolin était parvenu à imposer Aloysia et les siens au cours d'un premier voyage qui s'était révélé, pour eux bien sûr, très bénéfique. Pourquoi n'aurait-il pas extorqué à Wolfgang la promesse d'une autre expédition (quand à Mannheim leur crédit était définitivement ruiné) et celle d'obtenir de Léopold,

maître de chapelle à Salzbourg, une intervention bénéfique pour eux ? Naïvement, Wolfgang trahit leur
duplicité.

« ... Comme j'ai souhaité être dans la situation de ne
devoir penser à personne et espéré que nous soyons
bien établis, j'ai oublié, dans mon enthousiasme, que
cette entreprise était actuellement impossible et omis
également de vous dire ce que j'ai fait. Vous aurez bien
compris par mes deux dernières lettres les raisons pour
lesquelles je ne suis pas parti pour Paris. Si ma mère
n'avait pas commencé elle-même à en parler, je me
serais certainement mis en route avec eux ; mais lorsque
je compris qu'elle voyait la chose d'un mauvais œil, j'ai
pris la même attitude, car si on ne me fait plus
confiance, je perds moi-même confiance en moi. Bien
sûr, le temps a passé où je vous chantais *oragna figata
fa*, debout sur le fauteuil, et vous embrassais sur le bout
du nez, mais mon respect, mon amour et l'obéissance
que je vous dois en ont-ils diminué pour autant ? Je
n'en dis pas plus. »

Comment pourrait-il en dire plus ? Il s'accuse, il
s'excuse, il s'anéantit. À ses yeux, son amour pour
Aloysia n'était en rien exclusif. Aimer sa Weberin
n'excluait nullement son père. Car il l'aime, Léopold,
avec son inépuisable générosité, même si cet amour se
fait écrasant, étouffant. Même si cet épisode amorce
une rupture profonde et inéluctable. Il est blessé, et
plus jamais la cicatrice ne se refermera vraiment. Trop

pudique pour oser l'avouer, et il se contente d'écrire « je n'en dis pas plus ». Mais il ne peut s'empêcher d'évoquer le temps des comptines enfantines, des cérémonies du coucher, des baisers sur le nez, un temps qu'il sait maintenant définitivement révolu. Il n'est plus un enfant. Qui donc s'en apercevra ?

« ... Pour ce que vous me reprochez au sujet de la petite chanteuse de Munich, je dois avouer que j'ai été un âne de vous écrire un mensonge si grossier. Elle ne sait même pas ce que chanter signifie. C'est vrai que pour quelqu'un n'apprenant la musique que depuis trois mois, elle interprète remarquablement ; et de plus, elle a une voix agréable et pure. La raison pour laquelle j'ai fait des louanges d'elle tient sans doute à ce que j'entendais répéter du matin au soir : il n'y a pas de meilleure chanteuse en Europe, quiconque ne l'a pas entendue n'a rien entendu. Je n'ai guère osé les contredire, en partie parce que j'arrivais tout droit de Salzbourg où l'on m'a appris à ne contredire personne. Mais dès que j'étais seul, j'étais bien obligé de rire de bon cœur ; pourquoi n'ai-je pas ri en vous écrivant ? C'est ce que je ne comprends pas. »

Et c'est ce que nous, nous comprenons fort bien ! Sa réaction est classique : puisqu'il n'a ni le droit de parler, ni *a priori* celui de contredire, désormais sa règle sera la méfiance, voire l'hypocrisie. Entre les lignes de sa réponse à Léopold il faut lire : « Pourquoi vous ai-je dit la vérité ? C'est ce que je ne comprends pas. » Pourtant, s'il veut bien capituler, honnir ce qu'il a admiré la veille, en revanche il lui est impossible d'accorder la moindre concession au sujet d'Aloysia. Il l'aime profondément. Tout rappel d'un sentiment qui serait une pâle reproduction de celui-ci lui est insupportable.

Et là, il triche. Car il a bien écrit, de Munich : « La première chanteuse se nomme Kaiser, c'est la fille du cuisinier d'un comte. Une très agréable jeune fille, très jolie sur scène. Je ne l'ai pas encore vue de près. Elle est née ici et, d'après ce que l'on m'a dit, elle ne jouait que pour la troisième fois. Elle a une belle voix, pas très puissante mais pas trop faible non plus, très pure, une bonne intonation. Lorsqu'elle soutient la voix pendant plusieurs mesures, j'ai fortement admiré la manière dont elle fait un crescendo et un decrescendo. Elle fait le trille lentement, et cela me réjouit fort car il n'en est que plus pur et plus clair lorsqu'elle veut le faire plus vite. Il est de toute façon plus facile à faire rapidement. Les gens d'ici sont très satisfaits d'elle et moi aussi. J'ai regardé la Kaiserin avec mes jumelles et elle m'a souvent tiré les larmes des yeux ; je criai souvent brava, bravissima, car je pensais toujours que ce n'était que la troisième fois qu'elle était sur scène. »

Son enthousiasme d'hier, il le renie aujourd'hui, mais avec quelle aigreur ! « J'ai été un âne... » Si Léopold voulait lire entre les lignes, il comprendrait la tristesse de ce fils qui lui a parlé en toute confiance, qui lui a tout raconté, qui lui a spontanément ouvert son cœur et contre lequel, maintenant, Léopold retourne les confidences comme autant d'armes pour l'abattre.

« Je suis très vexé de ce que vous m'écrivez de si mordant au sujet de mes joyeuses conversations avec la fille de votre frère, mais cela ne s'étant pas passé comme vous l'imaginez, je n'ai rien à vous y répondre. Tout est vrai de ce que vous dites au sujet de Mlle Weber ; et en vous parlant d'elle, je savais tout comme vous qu'elle est trop jeune, que l'action lui manque et qu'elle doit avant tout souvent réciter au théâtre. Seulement, avec certaines personnes, il faut professer pas à pas. Ces braves gens sont las d'être ici, comme vous savez bien qui et où. Ils croient de plus que tout est réalisable et je leur ai promis de tout écrire à mon père. D'ailleurs, alors que la lettre était en route pour Salzbourg, je leur ai toujours répété qu'il fallait qu'elle prenne patience, qu'elle était un peu trop jeune, etc. Ils acceptent tout ce que je leur dis car ils me tiennent en grande estime. Sur mes conseils, son père a déjà parlé à Mme Toscani (une comédienne), pour qu'elle enseigne l'action à sa fille. Tout ce que vous dites de la Weberin est vrai, sauf une chose : qu'elle chante comme la Gabrielli. Je n'aimerais pas beaucoup qu'elle chante ainsi. Quiconque a entendu la Gabrielli dit et dira toujours qu'elle n'était qu'une chanteuse de passages et de roulades ; et comme elle s'exprimait de cette manière si particulière, elle méritait certes l'admiration, mais cela ne durait pas au-delà de la quatrième audition. Elle ne pouvait plaire à la longue, on se lassait vite des passages et elle avait le malheur de ne pas savoir chanter. Elle n'était pas en mesure de tenir une seule note comme il faut, elle n'avait pas de *messa di voce*, ne savait pas soutenir, en un mot, elle chantait avec art mais sans aucun entendement. Mais celle-ci chante pour le cœur et préfère le *cantabile*. Je lui ai fait découvrir les passages dans le grand air, car il est nécessaire qu'elle sache chanter des grands airs de bravoure si elle se rend en Italie. De toute façon, elle n'oubliera pas le *cantabile* puisqu'il est dans sa nature. Comme on lui demandait son avis sincère, Raaf (ancien ténor), qui n'a certes pas tendance à flatter les gens, l'a dit lui-même : elle n'a pas chanté comme une élève, mais comme une professora. Maintenant vous savez tout, je vous la recommande de tout cœur. Et je vous prie de ne pas oublier ce que je vous ai demandé au sujet des airs, cadences, etc. Portez-vous bien, je vous baise cent mille fois les mains et suis votre fils très obéissant. »

Très obéissant, vraiment ? Allons donc ! Wolfgang ne renonce pas, il diffère. Il veut bien annuler son projet de voyage italien, mais refuse de perdre à jamais celle qu'il aime. Il partira pour Paris, puisque son père le veut. Il remboursera les dettes de Léopold. Il le paiera même au centuple. Mais cela fait, il mènera sa vie comme il l'entend. « Comme j'ai souhaité être dans la situation de ne devoir rien à personne... »

Mais est-ce uniquement le fait de la volonté paternelle, que ces sages décisions ? Rien n'est moins sûr.

Wolfgang connaît trop bien le milieu musical, il a trop attendu dans les antichambres le bon plaisir des princes pour mettre en doute les arguments de Léopold. Il sait qu'il lui faut d'abord s'imposer. Devenir célèbre, obtenir une situation sécurisante pour les siens. Tous les siens. Ses parents, et cette famille qu'il espère de tout cœur fonder. Car enfin, Aloysia l'aime-t-elle ? Et si elle l'aime, l'aimerait-elle misérable et obscur ? Et ses parents qui agissent avec elle comme Léopold agit avec Wolfgang, qui la poussent de toutes leurs forces vers la célébrité afin qu'elle les sorte eux aussi de leur médiocrité matérielle, vont-ils la laisser lier sa vie à un musicien — fût-il génial — totalement et désespérément désargenté ?

Tout cela Wolfgang, sans oser se l'avouer, le pressent. Le doute est là, ancré au fond de son cœur, qui explique pourquoi, quelques semaines plus tard, il s'accrochera à ce Paris qu'il déteste et qui le rejette. Qui justifie, lorsqu'il en repartira plus tard les mains vides, ses hésitations à courir vers son bel amour. Qui justifie les lettres à la cousinette, sinon pourquoi cette invitation à le retrouver à Munich quand il y rejoindra Aloysia ?

Pour tenir le rôle d'un bien improbable chaperon ? L'hypothèse est invraisemblable. D'ailleurs, Nannerl semblerait bien mieux indiquée pour remplir cette mission. Et puis la Bäsle n'étalait pas un raffinement extrême. Ses jeux érotiques avec Wolfgang, ses lourdes plaisanteries, son aspect déluré contrastaient trop avec le caractère d'Aloysia. Il est impensable que Wolfgang ait pu penser entraîner la première dans ses promenades et ses tête-à-tête avec la seconde... Non. Il doit sentir au plus profond de lui-même que son mariage avec Aloysia, comme son voyage en Italie, reste du domaine du rêve. Un doux songe auquel il ne renonce pas encore. Mais c'est dit ! Pour gagner le cœur de sa bien-aimée, le droit de l'épouser, et enfin sa liberté, il accepte de partir pour Paris.

Le cœur brisé, le corps martyrisé comme chaque fois qu'il a dû se contraindre au-delà de ses forces, Wolfgang, pendant les jours qui suivent sa capitulation, est épouvantablement malade. Il a mal à la tête, mal à la gorge, mal aux yeux et mal aux oreilles. Il reste prostré dans sa chambre d'hôtel, en proie à une violente fièvre. Il se terre, s'épuise dans un interminable échange de lettres où Léopold continue de l'agonir d'insultes parce qu'il a abandonné ses élèves de Mannheim, parce qu'il a préféré donner gratuitement des leçons à une jeune fille, parce qu'il n'a pas reçu les deux cents florins escomptés de M. Dejean... Pourtant, il tente encore désespérément d'exprimer la noblesse de l'amour qu'il porte à Aloysia :

« Certaines personnes pensent qu'il est impossible d'aimer une jeune fille pauvre sans avoir de mauvaises pensées ; et le joli mot de "maîtresse", putain pour parler clair, est tellement plaisant ! Je ne suis ni un Brunetti, ni un Misliweczek ! Je suis un Mozart, et un jeune Mozart bien-pensant ; vous me pardonnerez donc, je l'espère, si j'ai tendance à m'enthousiasmer, dans mon ardeur – je dois parler ainsi bien que j'eusse préféré dire : si j'écris ce que je pense. Je pourrais écrire longuement à ce sujet, mais je n'en ai pas envie ; c'est impossible : parmi mes défauts, j'ai aussi celui de toujours croire que mes amis qui me connaissent savent ce que je vaux ! Nous n'avons alors pas besoin de beaucoup de mots. Et s'ils ne me connaissent pas, oh, où trouverais-je alors suffisamment de mots ? »

Pour la première fois dans cette lettre, alors que sa main tremble, que son front brûle encore de fièvre, qu'une fêlure s'ouvre dans son cœur, il exprime ce terrible sentiment de solitude qui désormais le hantera sans répit. Qui toujours, malgré quelques accalmies, le poursuivra. Qui le rattrapera à la gorge, les dernières années de sa vie. Qui le terrasse ce jour-là, à Mannheim, dans sa chambre.

Et peut-on imaginer l'humiliation qu'il a endurée lorsqu'il a annoncé aux Weber, à Aloysia surtout, qu'il n'irait pas avec eux en Italie ? Que son père le lui a interdit ? Et qu'il se soumet comme un petit garçon ?

Il est maintenant à quelques heures du départ. Chez les Cannabich, on donne un concert où Aloysia chante son aria. « Avec ce dernier, ma chère Weberin s'est fait, tout comme à moi, un honneur indescriptible. » Chez les Weber, ce dernier jour, tout le monde pleure, l'embrasse. « La Weberin m'a tricoté, de bon cœur, deux paires de manchettes au filet et me les a offertes en souvenir comme modeste marque de reconnaissance. »

Étranges effusions, pour une amoureuse supposée ! Fridolin, de son côté, lui tend les comédies de Molière en signe de gratitude éternelle.

« Lorsque je suis parti, ils pleuraient tous. Veuillez m'excuser, mais j'ai les larmes aux yeux lorsque j'y pense. »

Aloysia pleurait-elle plus que les autres ? Était-elle désespérée par ce départ ? Aussi triste que Wolfgang ? Ce n'est pourtant pas d'elle qu'il emportera le dernier regard : « M. Weber m'accompagna au bas de l'escalier, resta dans l'encadrement de la porte jusqu'à ce que j'eusse tourné au coin de la rue et me cria encore adieu. »

Pour Wolfgang, cet éloignement est un déchirement. Et il supplie son père de le comprendre. « Ne vous faites pas de souci, au reste je mènerai sûrement bien mes affaires. Je ne vous demande qu'une chose, c'est de faire preuve de bonne humeur dans vos lettres. »

Le 14 mars 1778, brisé, il part pour Paris avec une Anna-Maria tout aussi morose. Longtemps, par la fenêtre de la mauvaise voiture qui l'entraîne au loin, il contemple les murs, les maisons, les toits de Mannheim. Cette ville où il fut heureux. Cette délicieuse cité où il abandonne celle qu'il aime et ses amis musiciens.

Il ferme les yeux et adresse un adieu muet aux mois délicieux qu'il a passés là sans se douter qu'il s'éloigne à tout jamais de ses dernières années d'insouciance. Il ne le sait pas, mais une page essentielle et déterminante de sa vie est en train de se tourner.

Il croit dire au revoir à son bel amour ; il lui dit adieu. Il croit partir à la découverte de la fortune et de la célébrité ; il roule grand train à la rencontre de la mort et de la solitude.

– 7 –

LA RUPTURE

« Te soumettras-tu à toute épreuve ? »
La Flûte enchantée.

Un peu moins de quatre mois plus tard, le 4 juillet 1778, soit au lendemain de sa mort, Anna-Maria Mozart est enterrée au cimetière des Innocents, après une messe dite à l'église Saint-Eustache par l'abbé Irisson. Les registres de l'église ne portent, sous l'acte de décès, que deux signatures : celle de Wolfgang et celle de François Heina, trompette de chevau-légers de la garde du roi, l'ami des derniers moments que Wolfgang courut désespérément chercher dans tout Paris lorsque sa mère tremblante de fièvre s'était alitée.

Furent-ils plus nombreux à accompagner la pauvre Anna-Maria jusqu'à sa dernière demeure, une tombe anonyme que personne ne viendra jamais fleurir ? Nul ne le sait. Jamais Wolfgang ne fera mention de l'enterrement dans ses lettres. Son plus vif désir est d'oublier.

Pour lui, la mort, loin d'être un drame, représente bien au contraire un aboutissement heureux de la vie, le passage vers un état permanent de bonheur baigné de lumière divine, et nombreux sont ses écrits qui témoignent de cet état d'esprit.

À peine la dernière pelletée de terre est-elle retombée sur le cercueil que Heina et Wolfgang se rendent rue du Gros-Chenet pour ranger les affaires d'Anna-Maria. Ensemble, ils plient ses vêtements et son linge, enferment au fond de la malle la montre et les quelques bijoux qu'elle possédait. (Léopold reprochera amèrement à son fils l'absence d'une broche et d'une bague en améthyste.)

Le triste déménagement terminé, Wolfgang prend congé de l'aubergiste comme l'on fuit. Il est hors de question pour lui de passer une nuit de plus dans cette chambre où flottent, mêlés à l'odeur de la mort, les relents de son propre échec.

Depuis qu'il est à Paris, il traîne ce vague à l'âme comme un boulet. Il sait qu'il lui faut réussir, qu'il brûle sa dernière cartouche après les échecs de Munich et de Mannheim. Qu'ici bien plus qu'ailleurs, il va lui falloir se battre farouchement pour parvenir à se faire entendre au sein d'une bataille hystérique qui oppose – en matière de musique – les partisans de l'école française, sous l'égide de Gluck, à ceux de l'école italienne, menés par Piccinni. Et l'on se dit qu'Aloysia sera l'aiguillon, le moteur efficace qui le lancera à l'assaut de cette bruyante capitale qui étale complaisamment sa crasse et sa misère, sa population de mendiants rampant sur le pavé.

Or, bien au contraire, Wolfgang semble paralysé, replié sur lui-même. À peine arrivé, plutôt que de courir chez d'Alembert ou chez Diderot, auprès desquels son père a obtenu des lettres d'introduction, il s'est précipité pour retrouver ses amis (tant décriés) Wendling et Raaf. Frappé au cœur par le mal du pays que son chagrin d'amour rend plus aigu encore, il se recroqueville. Pas une fois, au cours de ses lettres, il ne dit avoir assisté à un opéra ou à un concert...

Dès les premières heures, il a remis son sort entre les mains de Grimm, l'enthousiaste correspondant de Léopold et l'excellent « impresario » du premier voyage parisien. Grimm – l'ami des Encyclopédistes mais le partisan farouche de la musique italienne, secrétaire du duc d'Orléans, puis ministre plénipotentiaire de Saxe-Gotha – s'était enthousiasmé pour l'enfant prodige. L'article qu'il avait écrit le 1er décembre 1763 dans sa *Correspondance littéraire, philosophique et critique* avait ouvert toutes les portes aux quatre Mozart.

« Le seul M. Grimm a tout fait pour nous », note en avril 1764 Léopold qui, depuis, voue au baron la plus sincère gratitude et une confiance inconditionnelle.

Il a tort. Quelques mois plus tôt, Grimm, de passage à Munich, a assisté à un concert donné par Wolfgang. Or, curieusement, il ne s'est pas manifesté. Certains biographes ont avancé l'hypothèse que le baron n'aurait pas été présent ce soir-là, et que le billet rédigé dans une gazette et relatant son passage serait erroné. Or, dans l'une de ses lettres, Grimm reconnaît explicitement avoir été là. Alors, pourquoi ce silence ?

Probablement parce que le baron était plus préoccupé de son sort que de celui des autres, et plus intéressé par les curiosités de cirque que par la véritable musique. À Paris, seize ans auparavant, il avait été conquis par la virtuosité de l'enfant, par les tours de petit singe enseignés par Léopold : jouer les yeux bandés, un drap posé sur le clavier, à l'envers, couché sur le piano... C'est bien ce petit clown génial que la cour applaudissait, pas le splendide musicien — même en herbe — que l'on pouvait deviner en cet enfant.

Or en 1777, à Munich, Mozart n'est plus, depuis longtemps, le petit prodige à exhiber. Ni celui qui servait de délicieux passeport auprès de ces dames de la cour. À Munich, le baron Grimm a retrouvé un adolescent disgracieux, fantasque, maladroit dans ses rapports humains, et très impatient d'imposer la musique allemande là où lui se bat justement de toutes ses forces pour promouvoir l'école italienne.

Mais, peut-on objecter, le baron a bien accepté de recevoir Wolfgang à Paris ? De le protéger ?

C'est vrai. Il a même formellement écrit à Léopold qu'il accueillerait son fils... Mais pour le prendre à son service et le domestiquer : « Je suis accablé d'affaires et d'écriture et, par conséquent, bien mauvais correspondant ; mais lorsque votre fils sera ici, il sera mon secrétaire... »

Quel quiproquo ! L'incommensurable talent de Mozart échappe totalement à Grimm. Les regards qu'il jette sur Wolfgang sont ceux d'un aristocrate sur un gros garçon venu de la campagne, que l'on prendra peut-être au pair contre quelques menus services.

Tout au plus voit-il en lui une arme à utiliser dans la bataille qui lui tient à cœur. Si par hasard ce jeune musicien était entendu à Paris, Grimm pourrait toujours le ranger à ses côtés pour lutter contre Gluck.

Rien de cela n'arrive. Dès les premières rencontres, l'impression de Munich se confirme : l'ex-enfant prodige lui déplaît. Wolfgang suscite chez ce mondain une profonde antipathie. Trop entier, trop sûr de son talent, trop allemand, incapable de roueries, de flatteries, il ne peut lui servir à la cour. Ses plaisanteries lourdes, sa laideur repousseraient plus qu'elles n'attireraient ces dames qui l'embrassaient autrefois.

C'est Karoline Pichler, une Viennoise, fille du haut fonctionnaire Franz Sales von Greiner, qui résumera le fait en rappelant plus tard combien « Mozart était un homme qui ne manifestait, dans ses relations personnelles, pas la moindre force spirituelle d'exception et presque aucune sorte de formation intellectuelle, d'éducation scientifique ou supérieure, et son entourage ne connaissait de lui que ses plaisanteries insipides ».

Une tare impardonnable dans un Paris où les idées des Encyclopédistes foisonnent, où les intellectuels se livrent continuellement à toutes sortes de joutes d'idées et où la forme compte souvent plus que le fond... Et les formes, Wolfgang n'en prend aucune.

Plus les jours passent, plus Grimm s'exaspère de la présence de Wolfgang. Il dresse à Léopold, qui lui est tout acquis, des comptes rendus alarmants où transparaissent son antipathie et sa lassitude :

« Il est trop candide, peu actif, trop aisé à attraper, trop peu occupé des moyens qui peuvent conduire à la fortune. Ici, pour percer, il faut être retors, entreprenant, audacieux. Au reste, il ne peut tenter ici que deux chemins pour se faire un sort. Le premier, c'est de donner des leçons de clavecin. *(...)* Et pour ce qui est d'écrire, le public est dans ce moment-ci ridiculement partagé entre Piccinni et Gluck ; il est donc très difficile pour votre fils de réussir entre ces deux partis. *(...)* Il est maintenant à Paris depuis quatre mois, et il est aussi peu avancé que le premier jour, ayant pourtant mangé près de mille livres. »

Et même si, dans les faits, la peinture de Grimm touche d'assez près la réalité, quel coup de poignard dans le dos de notre pauvre Wolfgang qui confirme, sans méfiance aucune, son manque d'enthousiasme à Léopold :

« Je me porte, Dieu soit loué, passablement bien ; toutefois je ne vois souvent ni rime ni raison à rien, je n'ai ni chaud ni froid, je n'ai de plaisir à rien ; ce qui me console le plus et me maintient de bonne humeur, c'est l'idée que vous, mon papa chéri, et ma chère sœur, vous allez bien – que je suis un honnête Allemand –, et que si je n'ai pas toujours le droit de parler, j'ai du moins la liberté de penser ce que je veux. Mais c'est bien tout. »

Même Raaf, l'excellent ami, s'inquiète devant la mélancolie de Wolfgang : « Et bien sûr, M. Mozart n'est pas tout entier ici – pour admirer les beautés d'ici – la moitié de lui-même est encore là-bas d'où j'arrive. » D'ailleurs, ajoute-t-il : « Vous avez raison. Je ne saurais vous en blâmer. Elle le mérite. »

Aloysia est loin. Wolfgang ne peut ni évoquer son nom, ni faire état de son chagrin, ce qui soulagerait un peu son cœur. Les mois ont passé et Grimm a incontestablement raison sur un sujet au moins : les probabilités pour son « protégé » de faire fortune dans cette ville en sont au même stade, même si celui-ci, se souvenant de temps en temps de l'enjeu, connaît de fugaces sursauts de vigueur : « En attendant, avec l'espoir très doux qu'à nouveau, et le plus tôt possible, nous pourrons être tous heureux, je veux continuer, au nom de Dieu, une vie qui, ici, est tout à fait opposée à mon génie [1], mon plaisir, mes connaissances et ma joie. (...) Car enfin, je suis ici – eh oui, il faut que je fasse tout ce qui m'est possible. Dieu m'accorde seulement de ne point y gâter mon talent ! Mais j'espère que ce ne sera pas trop long. »

Hélas si ! c'est même interminable. Très vite, les lueurs d'espoir des premiers jours se sont évanouies.

---

1. Ce mot de génie est à comprendre dans son acception la plus courante au XVIIIᵉ siècle, laquelle rend au mieux le terme « tempérament ».

Le duc de Guisnes, bien introduit à la cour, qui l'avait engagé pour donner des leçons de piano à sa fille et pour qui, selon l'usage, Wolfgang avait composé le célèbre *Concerto en ut pour flûte et harpe* (K. 299), ne le paiera jamais. Ni pour la musique, ni pour les leçons.

Quant à l'audition si difficilement obtenue chez la duchesse de Chabot, c'est une catastrophe ! On le fait attendre des heures dans une antichambre glacée. Et quand enfin on se souvient de lui, c'est pour lui proposer un vieux clavecin poussiéreux et désaccordé. Les larmes aux yeux, gelé jusqu'aux os, Wolfgang va jouer pour un auditoire indifférent, tout occupé à plaisanter et à dessiner. Quelle humiliation ! Il ne reprendra goût à l'existence que lors de l'arrivée du maître de maison, lequel saura l'écouter, l'apprécier et, ce faisant, le réconforter.

Et les déceptions s'accumulent ! Son *Miserere* connaît un échec retentissant. La partition de la *Symphonie concertante* (K. 297b) pour flûte, hautbois, cor et basson, n'est même pas copiée alors qu'il s'était attaché à l'écrire selon le goût parisien ! Et quand il réussit enfin à la faire donner au Concert spirituel, où l'on accueille « avec un applaudissement général », le succès ne suit pas.

Les *Petits Riens*, composés pour les ballets de l'opéra (et dans l'espoir de se voir commander un opéra véritable), séduisent l'oreille du public... Qui n'en connaîtra jamais le compositeur, faute d'avoir trouvé le nom de Mozart sur le livret. (Merci, M. Grimm !)

On lui a bien proposé un poste d'organiste à Versailles, mais comme il espère encore un succès plus flagrant, il l'a refusé.

Désormais sans argent et sans ressort, il n'a ni le désir, ni l'envie de s'imposer.

*
**

Alors il traîne chez Mme d'Épinay, qui lui a offert son toit après l'enterrement d'Anna-Maria. Un toit partagé, hélas, par Grimm dont elle est l'amie. Or, le baron n'a plus qu'une idée : que ce Teuton sans grâce reparte prestissimo pour son trou de Salzbourg, et qu'il n'en entende plus parler.

Exaspéré, donc odieux, il harcèle Wolfgang de questions. Réclame avec insistance les quelques louis prêtés pour l'enterrement d'Anna-Maria, exige le rapatriement de ses maigres effets, expédie des rapports de plus en plus alarmants à Léopold qu'il finit par gagner à ses vues : son fils doit rentrer au bercail.

Pathétique, Wolfgang proteste de sa bonne foi et tente d'ouvrir les yeux de son père sur le compte du baron : « Grimm est sans doute en état de venir en aide à des enfants, mais non pas à des grandes personnes, et – mais non, je ne veux rien écrire ! Je le dois pourtant. Seulement, ne vous imaginez pas qu'il soit le même que jadis. »

Et toi, n'as-tu pas aussi changé ? pourrait répondre Léopold à ce fils qu'il soupçonne de caresser toujours l'espoir de gagner le cœur et l'admiration d'Aloysia.

D'autant qu'à Paris, plus personne ne peut maintenant l'en détourner.

La mort d'Anna-Maria, si elle l'a attristé, l'a aussi libéré. Il n'a plus à se préoccuper de son entretien, de ses humeurs, de ses malaises. Elle n'est plus là pour le surveiller, pour lui rappeler sa mission, pour l'empêcher de rêver. Bref, pour le censurer.

Alors, Wolfgang s'est repris à imaginer sa vie aux côtés de celle qu'il aime toujours. Sa mère vient à peine de rendre le dernier souffle que, déjà, dans la lettre où il annonce sans l'avouer tout à fait son décès, il explique clairement à Nannerl ses idées sur le mariage. « À mes yeux, il n'y a rien de pire que de mener une honnête jeune fille par le bout du nez – ou de la laisser tomber ! »

Il tente ensuite de parler, à mots couverts, de ses « projets » à son père. Immédiatement, Léopold se mobilise.

« Mon cher fils !

« Quant à ce que tu me laisses supposer dans ta lettre, après m'avoir annoncé la triste nouvelle du décès de ta chère mère que j'ai entièrement sacrifiée à ton bien et à mon repos, cela ne peut guère contribuer à me rassurer, puisque tu me demandes de ne pas chercher à percer les idées que tu as en tête avant qu'il en soit temps. (...) Réfléchis à ce qui est préférable – écouter mes conseils, à moi, ton père et ton ami – ou construire des châteaux en Espagne, et tuer ton père en essayant de les réaliser. »

Des châteaux dont Mozart a déjà prévu les fonda-
tions lorsqu'il écrit, le 29 juillet 1778, à Fridolin Weber :
« Monsieur mon très cher et plus cher ami !
« ... Maintenant, écoutez : je veux essayer (et peut-
être ne sera-ce pas en vain) de vous faire venir à Paris
cet hiver avec Mlle votre fille. Le seul problème est
que M. Legros, directeur du Concert spirituel, auquel
j'ai déjà parlé de mon amie, ne peut la faire venir cet
hiver-ci, parce que Mlle Lebrun est déjà engagée pour
cette période, et qu'actuellement il n'est pas dans une
situation lui permettant de payer selon leurs mérites
deux personnes pareilles (je ne l'admettrais pas autrement). Il n'y a donc rien à gagner ici, mais pour l'hiver
suivant, cela est possible. Je voulais seulement vous le
dire, afin que, si vous n'y tenez vraiment plus, mais
plus du tout, vous puissiez alors venir à Paris. Le
voyage, le couvert, le logement, le bois et les chandelles
ne vous coûteraient rien, mais cela ne suffit pas. *(...)*
Basta ! écrivez-moi ce que vous en pensez, je ferai tout
ce qui est en mon pouvoir. *(...)* Si ce que j'ai en tête
pouvait marcher, mais patience, il ne faut pas précipiter
les choses, sinon elles vont de travers, ou même pas
du tout... Il faut toujours veiller à l'honneur de votre
fille. Moi, en tout cas, j'y veille constamment. *(...)* Entre-
temps, faites tout ce qui est en votre honneur pour
pouvoir améliorer votre situation à Mannheim, sinon
vous venez à Paris l'hiver prochain. Je vous assure que
vous aurez au moins soixante louis d'or. Oh, mon Dieu,
si j'étais dans l'heureuse situation de pouvoir vous
inviter, vous pourriez venir sans crainte d'entacher

votre honneur – car je vous jure que personne en dehors de vous et moi ne le saurait ni ne l'apprendrait. Oui, très cher ami, si je pouvais faire en sorte que nous vivions ensemble, heureux et joyeux, quelque part, c'est sûrement ce que je sacrifierais à tout, c'est ce que je préférerais, mais soyez sûr que je fais passer votre bonheur avant mon repos et mon plaisir. Pour vous savoir heureux et satisfait. »

Repartir pour Salzbourg ? Il n'en est pas question ! D'ailleurs, wolfgang déteste jusqu'à l'idée de revoir sa ville. Ensuite, il lui faut percer à Paris. Il faut qu'Aloysia l'y rejoigne et soit parfaitement prête pour chanter sur la scène parisienne l'opéra qu'il se doit de décrocher et de composer.

Alors il lui écrit, sur un ton curieusement compassé qui révèle entre eux une absence totale d'intimité, de complicité même. Comme si son sentiment amoureux n'avait jamais été partagé. Qu'on est loin des lettres délicieusement délirantes à la cousinette, fleuries de jeux de mots et de petits poèmes, d'infinies variations sur tout et n'importe quoi !

Sauf le « Carissima Amica », on ne trouve rien qui évoque un tendre entretien, le rappel d'un doux souvenir, d'un secret partagé. Tout est axé sur la musique, sur le chant d'Aloysia, sur la meilleure façon de travailler ce *Popoli di Tessaglia* qu'il écrit pour elle :

« Si vous en êtes satisfaite – autant que je le suis – je pourrai m'estimer heureux : d'ailleurs, je serai content d'apprendre de vous-même l'accueil qu'il aura trouvé, auprès de vous s'entend, car l'ayant fait uni-

160

quement pour vous je ne désire d'autres louanges que les vôtres. Pour ma part, je ne puis dire autre chose que ceci : parmi mes compositions de ce genre, je dois avouer que cette scène est la meilleure que j'aie composée de ma vie.

« Vous me ferez grand plaisir si vous voulez bien vous mettre avec grande application à l'étude de ma scène d'Andromeda, car je vous assure qu'elle vous siéra très bien, et vous fera grand honneur. Je vous recommande avant tout l'expression, de bien réfléchir au sens et à la force des paroles, de vous mettre sérieusement dans l'état et la situation d'Andromeda et d'imaginer que vous êtes vraiment ce personnage. Si vous persévérez sur ce chemin, avec votre voix ravissante, avec votre technique de chant, vous deviendrez à coup sûr rapidement excellente. La majeure partie de la prochaine lettre que j'aurai l'honneur de vous écrire consistera en une brève explication de la méthode et de la manière dont j'aimerais que vous chantiez et interprétiez cette scène, mais néanmoins je vous prie de l'étudier entre-temps par vous-même. *(...)*

« Basta, vous êtes capable, très capable, et je vous recommande seulement (je vous en prie chaleureusement) d'avoir la bonté de relire parfois mes lettres et de faire comme je vous l'ai conseillé, et d'être certaine et persuadée qu'en tout ce que je vous dis, et vous ai dit, je n'ai et n'aurai jamais d'autre intention que de vous faire tout le bien possible.

« Carissima Amica ! – J'espère que vous êtes en parfaite santé. Je vous prie d'en prendre toujours soin, car c'est la chose la plus précieuse qui soit au monde. Pour ma part, grâce à Dieu, je vais bien, pour ce qui est de ma santé car j'en prends soin, mais je n'ai pas l'esprit tranquille et je ne saurais l'avoir tant que je n'aurai pas la consolation d'être assuré qu'on a enfin rendu justice à votre mérite. Mais l'état, et la situation la plus heureuse pour moi viendra le jour où j'aurai l'intense plaisir de vous revoir, et de vous embrasser de tout mon cœur. C'est aussi tout ce que je peux réclamer et désirer – et ce désir et ce vœu sont mon unique consolation, et mon repos. Je vous prie de m'écrire souvent. Vous ne pouvez imaginer le plaisir que me procurent vos lettres.

« Basta, vous savez que tout ce qui vous touche m'intéresse beaucoup. *(...)* J'ai infiniment hâte de recevoir une lettre de vous et vous prie de ne pas me faire trop attendre, ni languir. En espérant recevoir bientôt de vos nouvelles, je vous baise les mains, vous embrasse de tout cœur, suis et serai toujours votre ami sincère. »

Quelle réserve et, sous cette contrainte, quel amour, quel respect, quelle passion !

Mais comme il est curieux que Wolfgang taise ses projets à Aloysia, pour en réserver l'exposé au seul Fridolin...

Pourtant, ce dessein, dont il mesure parfaitement la difficulté, le réconforte. Et le mois d'août va lui apporter, avec l'ébauche de perspectives enfin souriantes, une immense joie.

Jean-Chrétien Bach, le grand ami rencontré à Londres qui s'amusait à prendre l'enfant Wolfgang sur ses genoux pour lui faire terminer ses compositions, est en visite à Paris. Il vient de signer un contrat pour l'écriture d'un opéra français, et il invite Wolfgang à l'accompagner à Saint-Germain, dans la propriété de Louis de Noailles. Wolfgang accepte avec joie. Il va enfin passer huit jours de pure détente, entre son cher ami, Jean-Chrétien, et le castrat Tenducci (vieille connaissance londonienne), loin de Paris, de ses problèmes d'argent, de ses batailles. Loin, surtout, de Grimm. Avec Jean-Chrétien Bach et leurs hôtes, Wolfgang est heureux. Il peut enfin parler musique et exposer ses si chers desseins à son ami : l'écriture de cet opéra allemand qu'il envisage avec une hâte et une fébrilité grandissantes (« À cette idée mes mains, mes pieds tremblent et je suis pris de fièvre »). Il lui raconte les difficultés qu'il éprouve à trouver un bon livret. Il lui confie aussi son bel amour pour Aloysia, ses projets de mariage, et le poids écrasant de sa dette familiale...

Or, pendant que Wolfgang converse avec les uns et les autres dans la fraîcheur des soirées estivales, sous les lourdes frondaisons des tilleuls et des marronniers des collines de Saint-Germain, Grimm, fou de rage, étouffe de colère et de jalousie. La chaleur, implacable en ce tout début septembre 1778, chauffe à blanc les pavés de la capitale, exhale les odeurs pestilentielles de la crasse et de la misère, et exaspère les humeurs ulcérées.

Et c'est bien à un niveau de totale exaspération qu'est parvenu Grimm face à ce petit paysan bavarois qui s'avise maintenant d'ouvrir tout seul des portes prestigieuses : n'est-il pas installé dans une villégiature princière quand lui, Grimm, ministre plénipotentiaire de Saxe-Gotha, macère à la Chaussée-d'Antin ? Et le voilà encore qui pousse l'audace jusqu'à prendre ses aises chez le comte von Sickingen !

Fort bien. Pendant que Wolfgang se détend enfin à la campagne, Grimm intrigue assidûment pour le jeter hors de Paris. Et la gentillesse, l'affection de Mme d'Épinay pour le jeune compositeur ne parviennent plus à différer l'épreuve.

Dès le retour de Wolfgang, le cher baron lance son offensive. Première étape : démolir le moral déjà fortement entamé de son « hôte ». Grimm, mielleux, lui explique alors combien la capitale déteste ses compositions, combien les Parisiens, s'ils ont été amusés par ses prouesses d'enfant virtuose, le jugent aujourd'hui parfaitement incapable de composer un opéra français... Tout cela en vain.

Mozart s'en moque car les événements commencent à prendre bonne tournure. Un peu comme si la lumière projetée par l'amitié de Jean-Chrétien Bach le nimbait d'une nouvelle aura aux yeux du public. Et puis l'actualité culturelle est enfin propice à la création : le 8 septembre marque la rentrée musicale parisienne. Charles

Legros inaugure la saison de ses Concerts spirituels avec la deuxième des symphonies que Wolfgang a écrite à Paris (*Symphonie en ré*, K. 297)... et c'est un succès.

La probable retombée du séjour à Saint-Germain, où Wolfgang a enfin rencontré des aristocrates ouverts à la musique. Venus chez les Noailles pour entendre Jean-Chrétien Bach, ils ont découvert avec ravissement ce musicien de génie, qui a tout compris et tout assimilé du goût français.

« Mes affaires commencent à bien marcher », se réjouit-il. Et de fait, tout repart.

Au mois de juin, il s'était lancé dans la composition de sonates – sept en tout – qui traduisaient étonnamment la crise qu'il était en train de traverser. « Œuvres graves, syncopées, en constante balance entre "une lassitude résignée et un défi indomptable" », comme l'écrit Henri Albert.

En septembre elles sont terminées et données à graver. Wolfgang respire un peu. Mais alors qu'il retrouve quelque enthousiasme, de nouveau Léopold intervient. L'ordre qu'il lance est aussi incompréhensible qu'indiscutable : « Reviens à Salzbourg. »

De toute évidence, cette décision est le fruit des manœuvres du baron Grimm qui, sachant l'influence qu'il exerce encore sur Léopold, lui dépeint un Paris apocalyptique et fatal à son jeune et tout aussi inexpérimenté rejeton.

Ces descriptions, la mort d'Anna-Maria, la peur de perdre son fils – et sans doute est-ce le sentiment qui prédomine chez Léopold –, de le voir irréversiblement s'émanciper, l'ont très certainement déterminé à agir. Et il semble que le sort soit de son côté : coup sur coup, Salzbourg voit mourir deux de ses meilleurs musiciens, dont Lolli.

Colloredo le détesté, l'honni, l'abhorré accepterait-il de reprendre Wolfgang à son service ? Léopold n'a plus d'honneur, plus d'orgueil. Il a posé un linceul sur ses rêves de gloire et de puissance. Il a renoncé à imaginer son fils au pinacle, acclamé par Paris ou par Vienne. Maintenant, il veut parer au plus pressé. Il est talonné par ses créanciers et par l'urgence de rembourser ses dettes. Salarié à la cour du prince-archevêque, même modestement, Wolfgang pourra participer aux frais de la maison et restituer progressivement les sommes prêtées par le bon Haguenauer.

Après celle de Mannheim, une autre bataille commence pour Léopold. Tout aussi sourde, souterraine, inavouable. Cette fois-ci, quels arguments invoquer pour excuser ses injonctions ?

Sans même en avertir son fils, il se précipite sur le médiocre poste que Colloredo propose du bout des lèvres au jeune Mozart. Puis il peaufine, les uns après les autres, ses arguments.

Comment Wolfgang pourrait-il résister ? Son léger regain, son euphorie retrouvée ne suffisent pas à le soutenir dans ce nouveau combat. Paris, son atmosphère frelatée, la méchanceté (qu'il ne comprendra jamais) de Grimm, lui sortent par les yeux. Affaibli par son spleen amoureux, cassé par ses échecs, insuffisamment rassuré par les quelques signes d'espoir qu'il vient de recevoir, échaudé par la versatilité des Français, peut-il lutter contre les déterminations conjuguées de son père et du baron, dont les misérables manœuvres l'écœurent jusqu'à la nausée ?

Grimm qui, avec la même bassesse qu'on lui a connue vingt ans plus tôt à l'égard de son ami Jean-Jacques Rousseau, exige des comptes. Pleure après l'argent prêté. Joue les patiences incommensurables mais malmenées. Les noblesses offensées.

Malgré les protestations de Wolfgang (« Le plus grand bienfait que je lui dois consiste en quinze louis d'or, qu'il m'a prêtés, pièce à pièce, pendant les derniers jours de ma pauvre mère. » Et encore : « En un mot, il est faux, et cherche à m'étouffer. C'est incroyable, n'est-ce pas ? – Cependant, c'est ainsi. »), Léopold prend les plaintes de Grimm au sérieux et rédige, en un feu nourri, des lettres de plus en plus sèches, de plus en plus impérieuses, pour contraindre son fils à regagner Salzbourg.

Les arguments les plus gluants, les plus bas, sont employés. Si, en d'autres temps, Léopold avait reconnu avoir sacrifié la vie d'Anna-Maria sur l'autel des ambitions de son fils (ou plutôt des siennes), il adopte maintenant une tout autre version : Wolfgang est responsable de la mort de sa mère.

On en frissonne !

« Si ta mère était revenue de Mannheim, elle ne serait pas morte. Sans les Weber, tu n'aurais pas décidé de ne plus vouloir voyager avec Wendling. *(...)* Et ma pauvre épouse serait encore à Salzbourg. »

Et comme, apparemment, la culpabilité n'est pas un argument assez fort, Léopold renforce son arsenal et accroche à son hameçon de fer-blanc un leurre de poids : Aloysia.

« Mlle Weber intrigue énormément le prince et tout son entourage. Ils veulent l'entendre. En ce cas, si les choses s'arrangent, ils habiteront chez nous. »

Comment résister ? Salzbourg, avec Aloysia, devient une ville de rêve. Et Paris un cauchemar.

Pourtant il rechigne encore un peu, mais Grimm, dans la bouffée de joie provoquée par le départ imminent de Wolfgang, va jusqu'à lui retenir une place dans la diligence de Salzbourg et régler son voyage... au moins jusqu'à Nancy. La suite des événements ? Grimm s'en moque...

Mozart demande alors un petit délai. Le comte von Sickingen lui a offert l'hospitalité. Il aimerait rester à Paris jusqu'à ce que ses sonates soient gravées, pour assister à leur représentation. Mais Grimm ne veut rien entendre. Le 26 septembre, il le pousse littéralement dans la voiture (la plus mauvaise, la plus lente parce que, bien sûr, la meilleur marché) en partance pour Salzbourg.

Et Wolfgang quitte Paris qui, peut-être, s'apprêtait à le reconnaître. Il part et il enrage. Contre Grimm, contre la vétusté et la lenteur de cette voiture. Contre son père, qui jamais ne choisit son camp. Contre lui-même, incapable de lui résister. Que va-t-il faire, maintenant ? Rentrer directement à Salzbourg, retrouver la tutelle paternelle et le joug de Colloredo ? Pas tout de suite. Alors courir vers Aloysia, pour enfin, comme il le lui a écrit, la prendre dans ses bras et lui baiser les mains ?

Eh bien non. Très curieusement, Mozart traîne. Mais est-ce si sérieux lorsque l'on essaye d'imaginer son état d'esprit en cet automne radieux de 1778 ?

Il y a presque un an maintenant qu'il a fait la connaissance d'Aloysia. Et les souvenirs affluent, les images qui s'y attachent : l'escapade enchanteresse à Kirchheim-Boland. Les soirées à la cour de la princesse d'Orange, l'éblouissement d'Aloysia, la reconnaissance de sa famille. Il se souvient des mille projets qu'il faisait dans ses rêves d'amour. Il leur parlait de l'Italie, alors. De la gloire qu'ils connaîtraient tous bientôt, grâce à lui...

Et puis, il évoque, avec douleur, le jour où il a appris son départ pour Paris. Adieu l'Italie. Adieu l'opéra de Vérone. Adieu à jamais, Venise.

Mais même le jour des adieux, il avait encore promis, expliqué, justifié. Il partait pour Paris, oui, mais c'était pour y faire fortune. Là-bas, où on l'avait tant aimé, les louis d'or couleraient à flots. Son nom retentirait dans tous les théâtres, dans toutes les salles de musique. Il serait si célèbre que les directeurs de théâtre de toute l'Europe se battraient pour donner ses opéras, pour engager, fût-ce un seul soir, Aloysia la protégée de Wolfgang Amadeus Mozart !

Et qu'en est-il de tout cela ? Il ne reste que cendres, larmes et désillusions. Paris l'a brisé. Le regard des femmes, catins ou aristocrates, lui a, pour la première fois, renvoyé son image dans toute son affreuse vérité. Il est petit, vérolé, les yeux un peu globuleux, hirsute. Et malgré tout le soin qu'il porte à sa tenue vestimentaire, il sait bien, aujourd'hui, qu'il n'a rien de ce don Juan (a-t-il déjà lu les comédies de Molière que Fridolin lui a remises le jour de son départ de Mannheim ?) dont il fera plus tard un splendide, un bouleversant opéra.

Dès lors, comment courir vers la ravissante Aloysia ? Comment se précipiter vers ce pur amour, les mains vides, couvert de dettes et tout imprégné d'un amer parfum d'échec ?

On comprend mieux qu'il s'attarde à Strasbourg, où il est applaudi. Qu'il fasse à l'envers le chemin qui le vit heureux, pour s'arrêter quelques jours à Mannheim, chez les Cannabich qui le reçoivent à bras ouverts en l'absence d'Aloysia.

Là, dans cette ville toute bruissante des souvenirs heureux, il apprend qu'au lieu d'être engagée à Salzbourg comme son père le lui a laissé entendre, Aloysia est partie pour Munich où elle a décroché le contrat du siècle : prima donna, à six cents florins pour elle et quatre cents pour son père (au titre de... géniteur-

LA RUPTURE

copiste-souffleur). Au moment même où Colloredo, dans son immense mansuétude, a accordé quatre cents florins à Wolfgang au titre non pas de *Kappelmeister*, comme l'a prétendu Léopold, mais de *Konzertmeister*.

Alors il traîne ! En ville, on parle de monter un opéra sur un livret inspiré de la *Sémiramis* de Voltaire. Wolfgang pose sa candidature, attend. L'obtiendra-t-il ? Comme il doit être malheureux pour croire encore en cette hypothèse ; l'ultime espoir, à ses yeux, d'une dot qui convaincrait Aloysia...

De son côté, Léopold fulmine. Mi-décembre, alors que Colloredo a consenti à le reprendre à son service, Wolfgang n'est toujours pas rentré. Est-il fou ? Salzbourg tout entier sait qu'il a quitté Paris le 26 septembre...

D'opéra, bien sûr, il n'est toujours pas question. Wolfgang décide donc de rassembler ses dernières forces, ses dernières étincelles de courage, et de partir pour Munich demander la main d'Aloysia à son père.

C'est à ce moment précis qu'il écrit à sa cousinette. Pourquoi ? Nul ne le sait. On a avancé qu'il voulait lui faire tenir le rôle d'un chaperon. Le contenu de la lettre permet d'en douter :

« Ma très chère cousine !

« En toute hâte – rempli des plus profonds remords et de douleur, je vous écris avec l'intention très ferme de vous annoncer que je pars demain pour Munich. Ma chère cousine, ne soyez pas lapine. Je serais très

171

volontiers allé à Augsbourg, je vous l'assure, mais M. le prélat impérial *[l'ecclésiastique avec qui il a décidé de voyager et à qui il tient compagnie, en échange de la gratuité des frais de voyage]* ne m'a pas laissé partir, et je ne peux le haïr car ce serait contre les Commandements de Dieu et la Nature, et quiconque ne le croit pas est une putain. Entre-temps, c'est ainsi, je ferai peut-être un saut de Munich à Augsbourg, mais ce n'est pas si sûr. Si vous avez autant de plaisir à me voir que moi à vous rencontrer, venez à Munich, dans cette noble ville.

« Veillez à y être avant le nouvel an, je vous contemplerai alors par-devant, par-derrière. Vous conduirai partout et, si nécessaire, vous donnerai un clystère. Mais je ne regrette qu'une chose, c'est de ne pouvoir vous loger. Parce que je ne serai pas à l'auberge, mais habiterai chez – qui, où ? – Je voudrais bien le savoir. Maintenant, blague à part, c'est justement la raison pour laquelle il est très important pour moi que vous veniez. Vous aurez peut-être un grand rôle à jouer. Donc venez sans faute, sinon c'est la merde. Je pourrai alors vous complimenter en noble personne, vous fouetter le cul, vous baiser les mains, tirer du fusil postérieur, vous embrasser, vous donner des lavements par-devant et par-derrière, vous payer par le menu ce que je vous dois peut-être, laisser résonner un pet solide, et peut-être même laisser tomber quelque chose. Maintenant adieu, mon ange, mon cœur, je vous attends plein d'angoisse, écrivez-moi tout de suite à Munich, poste restante, une petite lettre de vingt-quatre feuillets, mais n'y indiquez pas où vous logerez... »

On a peine à imaginer, après ces lignes, la cousinette en duègne, auprès d'Aloysia. Sinon pourquoi ces allusions érotiques, ou du moins très anatomiquement précises, quand il s'agit de leurs retrouvailles ? Pourquoi ce désir de cacher l'existence de la Bäsle aux yeux des Weber, de la même façon qu'il cache à sa cousine l'endroit où il va habiter ?

De surcroît, il l'a suppliée d'accourir, et avant le nouvel an si possible, mais pas un instant il n'évoque les motifs de son passage à Munich ni ses fiançailles supposées avec Aloysia. Serait-elle venue si elle avait connu la vérité ? Était-elle, au fond, amoureuse de son fantasque et génial cousin ? Sans doute. Comme il est évident qu'elle a fermement pensé que ce « vous aurez peut-être un grand rôle à jouer » concernait directement son propre avenir. C'était apparemment un cœur simple dépourvu de toute méchanceté, de toute rancune...

Il est plus crédible d'imaginer qu'en fait Wolfgang pressentait l'échec de ces retrouvailles. Il a vingt-deux ans. Il est fougueux, il veut croire, de toutes ses forces, à cette histoire d'amour. Il se lance donc chez les Weber comme on se jette à l'eau, mais en prévoyant une planche de salut en cas de noyade. Et quel meilleur recours, quelle « doublure » plus douce et plus joyeuse, plus distrayante, qu'Anna-Maria Tekhla ?

173

Le 25 décembre, Wolfgang franchit enfin les portes de Munich et se précipite vers la seule demeure qui l'intéresse au monde : la maison d'Aloysia... Pour y essuyer la plus épouvantable rebuffade de sa vie.

Aloysia a changé. Est-ce bien la même ? En quelques mois, pendant que Wolfgang, ex-enfant chéri des cours d'Europe, s'étiolait à Paris, Aloysia, l'obscure, l'inconnue, grimpait dans le ciel professionnel à la vitesse d'un météore.

Wolfgang ne s'était décidément pas trompé sur ses qualités musicales : la voix d'Aloysia enchante tout Munich et sa réputation de soprano commence même à passer les frontières. Dans la capitale bavaroise, on la reconnaît déjà dans la rue. Elle est applaudie, adulée, chouchoutée et... très bien payée.

À qui, à quoi pense-t-elle quand elle se regarde dans un miroir ? Qu'y voit-elle ? L'image de Wolfgang, ou la sienne, éblouie, qui se confond désormais avec celle de sa propre gloire ?

C'est hélas uniquement son reflet qu'elle rencontre, et qu'elle projette à l'infini dans une galerie des glaces mythique : celle du succès, qu'elle savoure à l'avance, seule. Sans Wolfgang.

Qu'a-t-elle donc à faire, désormais, de ce musicien qui accumule les échecs ? Il est laid, pauvre, couvert de dettes... Même si Aloysia avait émis le désir de le remercier pour tout ce qu'elle lui doit, même si la compassion et la reconnaissance l'avaient poussée dans ses bras, Maria-Caecilia Weber, sa mère, ne l'aurait pas entendu ainsi.

Comment ? Sa fille, enfin prima donna, compromettrait ses chances avec un domestique ?

Wolfgang, le cœur battant à tout rompre, la bouche sèche, est arrivé devant la porte. Debout, immobile, il hésite, reprend son souffle et frappe deux coups secs.

Un domestique lui ouvre et l'introduit dans le salon.

« C'est là que Mozart parut, à son retour de Paris, vêtu d'un habit rouge avec des boutons noirs, selon la mode française, pour le deuil de sa mère, raconte Nissen, le second mari de Constance Mozart. Mais il trouva Aloysia dans d'autres dispositions à son égard. Elle ne sembla plus reconnaître, lorsqu'il se présenta, celui qu'elle avait pleuré naguère. Alors Mozart se mit au clavecin et chanta d'une voix forte, entonnant le vieux lied populaire de Goetz von Berlichingen :

« "Ceux qui ne m'aiment pas, je les emmerde." »

Après quoi, brisé, désespéré, tremblant de tout son corps, il se relève, fait claquer le couvercle du clavecin et quitte précipitamment la maison Weber, sans que quiconque de cette famille « chère, adorée et précieuse », n'ait fait un seul geste pour le retenir...

8

CHAGRIN D'AMOUR

> *« Ah ! je le sens, c'est fini*
> *Les joies de l'amour sont perdues !*
> *Vous ne reviendrez plus jamais. »*
> PAMINA, *La Flûte enchantée.*

Quinze mois, et tout s'est écroulé. Le cocon familial. La confiance inconditionnelle, l'état d'obédience face à toutes les décisions de Léopold, les ambitions de gloire universelle et les désirs d'amour pour Aloysia.

Pendant une semaine, toussant et fiévreux, Wolfgang pleure. Il s'est réfugié chez son ami le flûtiste Becke pour donner libre cours à sa peine. À quel espoir, à quel rêve peut-il désormais s'accrocher ? Aloysia représentait tout ce qui lui restait d'illusion, de soleil, d'avenir. Il n'a plus rien. Si, du chagrin, et une sainte horreur à l'idée de rentrer à Salzbourg.

« Mon cher père,

« J'écris ceci de la maison de monsieur Becke. Je suis bien arrivé ici le 25, Dieu en soit remercié, seulement, depuis cette date, vous écrire m'a été tout à fait impossible. Je garde tout ce que j'ai à vous dire pour le jour où j'aurai le bonheur et la joie de vous parler à nouveau de vive voix, car aujourd'hui je ne peux rien d'autre que pleurer. J'ai réellement un cœur trop sensible *(...)*. J'ai par nature une mauvaise écriture, vous le savez, car je n'ai jamais appris à écrire. Mais, de toute ma vie, je n'ai jamais eu une plus mauvaise écriture qu'aujourd'hui, parce que je ne peux pas. Il n'y a de place dans mon cœur que pour l'envie de pleurer ! J'espère que vous m'écrirez bientôt pour me consoler. »

Anéanti, Wolfgang se retourne vers le seul être qui lui soit, malgré tout, encore proche : Léopold. Il a besoin de ses bras, de ses épaules pour épancher son chagrin. Il a besoin de s'arrêter, de faire une halte, comme les animaux blessés qui se cachent pour panser leurs blessures.

Mais quelle déconvenue ! Loin de saisir l'occasion de renouer les liens familiaux distendus par quinze mois de séparation et de batailles épistolaires permanentes, Léopold brise le dernier lien, si ténu, si fragile, qui restait encore entre eux.

« Mon cher fils !

« J'ai été très attristé en lisant ta lettre et celle de monsieur Becke. Si tes larmes, ta tristesse et ton angoisse n'ont d'autre raison que ton doute envers mon amour et mon affection pour toi, tu peux dormir en paix, manger et boire tranquille, et revenir encore plus tranquille. La raison principale et inévitable de mes frayeurs réside dans ta longue absence. En effet, tu as quitté Paris le 26 septembre *(...)*, dis-moi si l'on n'a pas raison de dire que tu te moques du prince *(...)*. Tu écris qu'il faut que je te console. Et moi je t'écris, viens, toi, et console-moi. »

La réponse ne tarde pas, amère :

« Mon cher père !

« Je vous ai écrit avant-hier de chez Becke une lettre comme je n'en avais jamais encore écrit de pareille, car cet ami m'a tellement parlé de votre paternelle et tendre affection, de votre indulgence à mon égard, de votre condescendance, de votre discrétion quand il s'agit de contribuer à mon bonheur, que mon cœur en était tout porté aux larmes. Mais à présent, par votre lettre du 28, je ne vois que trop clairement que monsieur Becke, dans sa conversation avec moi, exagérait un peu. »

Cette fois-ci, la rupture est consommée. Désemparé, Wolfgang, dans un réflexe d'orgueil, traîne encore un peu à Munich, le temps d'y achever l'air écrit pour Aloysia *(Popoli di Tessaglia)* au temps où il pensait encore en faire sa femme.

Geste suprême d'élégance, il le lui dédicace malgré leur mauvaise rupture, lui accordant généreusement un pardon chevaleresque qui restera, sa vie durant, l'une des constantes de son comportement.

Le 16 janvier, il est enfin à Salzbourg où la présence de la cousinette – imposée à Léopold – adoucit ce triste retour. Mais, comme le remarque Rémy Stricker, Mozart appartient au clan des optimistes, des épicuriens.

« La liberté déçue, l'amour déçu, la valeur non reconnue s'enchaînent inexorablement. Chacune de ces déroutes renvoie à l'autre de façon si implacable qu'une âme moins forte aurait peut-être cédé. Mozart rentre à Salzbourg en deuil de sa mère, de son premier amour, conscient de l'hostilité du monde à laquelle ne fait même pas exception son propre père. Tout s'acharne, pendant ce grand voyage, à détruire en lui les dernières illusions de l'enfance. Or, il surmonte tout, n'avoue que quelques larmes, laisse à peine échapper une plainte. Il n'est pas difficile de deviner comment il est parvenu à traverser cette initiation douloureuse : il le dit lui-même. En créant d'abord : ses lettres parlent bien plus, en définitive, de ses travaux que de ses peines. En s'ouvrant à la vie aussi, à l'exemple de sa mère. Tout ce qui paraît anecdotique, voire futile, dans sa correspondance en est la preuve. Léopold remâche sa neurasthénie, son hypocondrie, sa misanthropie, Wolfgang capte le moindre souffle de vie et s'éclate dans toutes les directions. »

S'il tombe, il se relève tout de suite, laisse à Dieu le droit de juger et reprend son chemin avec ce mélange de fatalisme et d'enthousiasme, cette compréhension inouïe de l'âme humaine qu'accompagne une fantastique tolérance. Il ne ressasse rien de ce qui lui est arrivé. Il l'a dépassé, douloureusement ou joyeusement, mais il l'a fait. Sauf, bien sûr, Colloredo.

Et puis le retour n'est pas si terrible. Nannerl et Léopold sont indiscutablement ravis de le revoir. Malgré les difficultés financières, on a placé dans sa chambre une armoire toute neuve pour ranger ces habits dont il raffole et dont il rapporte de Paris quelques exemplaires à la mode.

Entre le lit et l'armoire, juste sous la lumière qui tombe des deux hautes fenêtres, on a installé le vieux clavicorde sur lequel il a appris à jouer. Et pour fêter dignement l'enfant – prodige et prodigue –, Theresel, la petite cuisinière, a rôti deux énormes chapons, son plat préféré. Enfin, alertés par Léopold, tous les bons, les vieux, les fidèles amis défilent dans la maison pour le saluer. Comment résister à tant d'attentions ?

Lorsque l'on connaît le cœur, la sensibilité de Wolfgang, comment douter une seconde qu'il ait pu ne pas y être sensible ? D'ailleurs les premières pièces qu'il compose, en ces semaines salzbourgeoises du retour au bercail, sont des partitions familiales : la *Sonate en si bémol* (K. 378) dédiée à son père et sa sœur, et le *Concerto en mi bémol* (K. 365) écrit pour renouer avec Nannerl les plaisirs – autrefois si vifs et partagés – de l'exécution à deux pianos.

Après qu'il l'a repoussée, détestée, redoutée, la reprise de la vie familiale agit très certainement comme un baume apaisant la douloureuse épreuve du feu.

Tout comme un convalescent au sortir d'une longue maladie, Wolfgang se remet doucement mais sûrement.

Et il se remet de tout. Après avoir beaucoup pleuré sur sa rupture avec Aloysia et sur son amour mort, il ressent maintenant un étrange et curieux sentiment de délivrance. Il vient de connaître la passion, cet inexplicable ensorcellement, ce charme pervers qui emprisonne irrémédiablement et sans relâche l'âme et l'esprit, qui brûle le corps et la chair jusqu'à la dernière fibre.

Il vient de passer une année à vibrer d'une étrange fièvre qui l'a plongé dans des mélancolies sans fond, puis rongé de doutes et de jalousie.

Il vient de connaître la peur de perdre l'être aimé. L'angoisse de voir Aloysia lui échapper, qu'elle en aime un autre. Il a supplié Fridolin Weber de venir le rejoindre à Paris si ses affaires n'allaient pas mieux. À Paris, car ailleurs, c'était certain, un autre allait s'emparer du cœur de l'aimée.

Il a souffert sans relâche, il a passé des nuits à bâtir les scénarios les plus invraisemblables, du mariage à la rupture. Cet amour obsédant lui a ôté une bonne partie de son ardente envie de composer.

Et d'un seul coup, il est libéré. Il a recouvré sa liberté. La première de toutes les libertés : celle de son cœur et de son intelligence. De nouveau, enfin, ses pensées lui appartiennent.

Cette expérience sera unique dans la vie amoureuse de Wolfgang. Jamais auparavant, jamais plus ensuite il ne connaîtra pareille fulgurance. Et curieusement il n'en éprouvera jamais la moindre nostalgie, même s'il lui arrivera, parfois, d'en évoquer les résonances lointaines : le 16 mai 1781, il écrira à son père : « Avec la Lange [*Aloysia*], j'ai été un fou, c'est vrai, mais qui ne l'est pas quand il est amoureux *(...)*. Je l'aimais pourtant réellement, et je sens qu'elle ne m'est pas encore indifférente et que c'est une chance pour moi que son mari soit affolé de jalousie et ne la laisse aller nulle part, et qu'ainsi j'aie rarement l'occasion de la voir. »

L'amour, pour Mozart − et cette expérience lui en fait cruellement prendre conscience −, ne peut être cette passion-là. Ce sentiment étrange qui dévore jusqu'au propre corps du possédé et interdit le partage d'une douce et longue aventure. Le couple, pour Wolfgang, ne commence que lorsque tous les jeux de l'amour, rencontre, inquiétude, chantages amoureux, se sont épuisés, et que le véritable sentiment transparaît alors, décanté, sans que ni l'un ni l'autre des deux éléments n'exerce une domination ou une tentative de domination sur l'autre.

L'intolérance et tout manichéisme fruste, rudimentaire, ne peuvent dès lors altérer l'équilibre parfait, harmonieux, de la relation.

Dans son siècle − où l'on s'alliait plus que l'on ne se mariait − la conception du couple selon Wolfgang, en tant que résultante du sentiment amoureux, est d'une modernité stupéfiante.

Alors que tous les artistes s'attachent quasi exclusivement à décrire la passion comme modèle, pis, comme quintessence du sentiment amoureux, Wolfgang ne lui réservera dans ses futurs opéras qu'un intérêt secondaire, voire anecdotique. En revanche, il ne cessera de perfectionner son concept du couple et d'affiner les bases nécessaires à son unité.

À une époque où la tendresse est bannie pour sa tiédeur et sa banalité, chez Mozart elle est la clé de l'entente et de l'harmonie entre l'homme et la femme.

Dans ses opéras, les personnages exaltés, victimes de leur passion, sont des êtres ténébreux qui ne s'appartiennent plus, et qui donc perdent la divine faculté du don de soi, cette radieuse illumination propre à l'amour-plénitude mozartien. Et là encore la générosité, après la tendresse, sera l'une des clés maîtresses du caractère et de l'œuvre de Wolfgang.

Dès lors on plaint Osmin, que sa jalousie et sa rage de dominer poussent jusqu'à l'inconscience. « Il ne se connaît plus. » On frémit pour la Reine de la Nuit, consumée par la haine et par une ambition dévastatrice. On n'envie ni donna Anna, prise d'une rage vengeresse, ni la Vitellia de *La Clémence de Titus*, frénétiquement dévorée par l'amour du pouvoir...

En revanche, il y a de l'autre côté les modèles lumineux, les personnalités radieuses de ses opéras : Aspasie, Giunia, Ilia, Constance, la Comtesse, Suzanne, Pamina. Toutes aimées pour ce qu'elles sont : des êtres faillibles, fragiles, charmants sans aucun doute, mais des femmes rayonnantes de générosité, de don de soi, d'amour dans tout ce qu'il implique de respect de l'autre et de lucidité, de chemin volontairement gravi pour se purifier des inévitables faiblesses...

S'est-il souvenu des semaines paisibles de Salzbourg lorsqu'il a travaillé le livret de *Don Juan* avec Da Ponte et composé, en suivant à la lettre le texte de Molière, l'air remarquable d'Elvire ?

« Le Ciel a banni de mon âme toutes ces indignes ardeurs que je sentais pour vous, tous ces emportements d'un amour terrestre et grossier, et il n'a laissé dans mon cœur qu'un amour détaché de tout, qui n'agit point pour soi, et qui ne se met en peine que de votre intérêt. »

Aloysia dont il dira encore qu'elle est « hypocrite, méchante et coquette »... mais plus tard, au moment où il présentera Constance – la propre sœur d'Aloysia – à son père dans l'intention de l'épouser !

Et si, sur le plan humain, on ne peut que regretter la rupture avec Aloysia, musicalement quel profit ! Cet amour brisé lui a ouvert ces portes de l'âme à l'entrée desquelles il ne s'était jusque-là aventuré qu'avec timidité, le cœur tout plein d'obscures intuitions, de sombres pressentiments.

Désormais, il n'est plus question d'appréhensions. À Salzbourg, dans cette deuxième quinzaine de janvier, Mozart laisse ses impressions se décanter sans qu'elles ne contaminent un seul instant sa production musicale. Bien au contraire elles vont enrichir, aiguiser sa pensée et le mener vers une maturité exceptionnelle de son

185

génie, vers une profondeur encore accrue du regard qu'il porte sur le monde. Autant de transformations indispensables pour affronter la nouvelle crise qu'il lui faut traverser afin de se libérer définitivement du dernier joug : son excellence le prince-archevêque Colloredo.

Mais à Salzbourg, même s'il s'y repose, Wolfgang étouffe. Il attend toujours désespérément la commande d'un opéra en allemand lorsque la troupe de Boehm – au total une trentaine de personnes passionnées par ces mêmes questions de langue et par le *Singspiel* – arrive dans la ville et l'attire comme le ferait un aimant.

Tous les soirs, en compagnie de Nannerl et parfois de Léopold, Wolfgang est au théâtre, applaudit, s'enthousiasme. L'ambiance est très gaie. Après les représentations, les artistes se retrouvent pour le souper. On boit, on joue aux cartes, on plaisante et l'on s'interroge sur l'avenir de l'expression allemande.

Boehm le pousse à écrire. Mozart s'enflamme, lui compose quelques arias et jette les grandes lignes de son futur opéra, *L'Enlèvement au sérail.*

Septembre 1780. C'est Emanuel Schikaneder qui succède à Boehm. Le futur librettiste de *La Flûte enchantée* arrive à Salzbourg et dans le cœur de Wolfgang. Entre eux, c'est une amitié coup de foudre. Les deux hommes se plaisent, s'estiment, et se retrouvent chaque jour... Et la vie s'écoule, en livrée aux couleurs de l'archevêque. Wolfgang se partage entre ses occupations de

Konzertmeister – en fait, l'entretien des orgues –, le théâtre le soir, les moments d'amitié avec Schikaneder et les lettres à la cousinette, tissées de plaisanteries grivoises et pleines de tendresse.

Et si son attachement transparaît à chaque ligne, jamais, malgré ce lien réel, il ne lui confie ses inquiétudes, qu'elles concernent Colloredo ou ses ambitions de compositeur. Il lui est attaché mais ne partage rien d'autre avec elle qu'un plaisir sensuel de joyeux drilles. La pensée qu'elle existe lui suffit. Elle est là, simple et tranquille, toujours disponible, toujours souriante. Il oublie de lui écrire pendant des mois mais, s'il reprend la plume, elle lui répond sur-le-champ.

A-t-il jugé à son exacte valeur, à sa juste importance, le sentiment qu'il lui porte ? Probablement pas. Sinon, comment expliquer sa déconvenue lorsque, quelques mois plus tard, il apprendra qu'elle en aime peut-être un autre :

« À propos, voici quelques jours, j'ai reçu une lettre de qui ? De monsieur de Feigele. Et qui disait ? Qu'il était amoureux. Et de qui ? De ma sœur ? Non ! de ma cousine. Mais il lui faudra attendre longtemps pour recevoir une réponse de moi ! Vous savez combien j'ai peu de temps pour écrire. Je suis cependant curieux de voir combien la chose durera avec celui-là. »

Amer, Wolfgang ? Bien sûr. Même s'il ne lui a jamais rien promis, sa tendresse complice attendait, implicitement, que la Bäsle lui restât fidèle...

*
**

Et puis, enfin, dans le ciel gris et bas de Salzbourg souffle le premier vent de l'espoir, qui balaie tous les nuages, toutes les incertitudes, toutes les angoisses : pour le carnaval de Munich, le prince électeur Karl Theodor, qui lui avait déjà commandé *La Finta Giardiniera*, lui demande un nouvel opéra seria.

Or, il y a six ans que Wolfgang n'a rien composé de ce genre. On imagine l'immense bonheur qui le soulève. Colloredo le laissera-t-il partir ? Dans leur nouveau contrat, il y avait consenti. Il ne peut donc lui refuser l'autorisation de ce voyage, qu'il lui accorde en effet.

Pourtant Wolfgang, cette fois-ci, ne se berce d'aucune illusion : il sait que dans six semaines il lui faudra réintégrer Salzbourg et le service de son terrible maître. Qu'importe, la perspective d'écrire enfin un opéra allemand occulte toute restriction. Il est fou de bonheur, d'excitation, et dès qu'il reçoit l'aval officiel de Colloredo, il bondit dans la première voiture en partance pour la capitale bavaroise, voluptueusement seul ! Contre toute attente, Léopold a accepté qu'aucun chaperon n'accompagne son fils ! Lequel, à peine arrivé, s'attaque déjà à la rédaction du livret d'*Idomeneo, Re di Creta*. Une belle et vibrante histoire d'amour sur fond historique qui lui fait oublier le reste du monde et le temps qui lui était imparti.

Avec une volonté d'écriture qui dépasse la simple partition musicale, Wolfgang, pour la première fois, intervient sur le texte et sur l'exécution de l'œuvre, refusant de modifier ses airs quand les demoiselles

Wendling – les deux cantatrices – le lui demandent, comme il refuse de céder aux caprices et aux rigidités du librettiste Varesco. Wolfgang, qui a toujours plié dans les rapports de force auxquels il était soumis, montre, quand il s'agit de musique, une volonté farouche et une intransigeance inaltérable. Son librettiste s'est réfugié à Salzbourg. Il le somme de retravailler les scènes et charge Léopold de lui remettre en main propre ses lettres :

« L'aria d'Ilia, au second acte et à la seconde scène, je voudrais, pour ce que je compte en faire, qu'elle fût un peu modifiée, ordonne-t-il. *"Se il padre perdei, in te lo ritrovero"*, cette strophe ne pourrait être meilleure. Mais après vient ce qui m'a toujours paru contraire au naturel (dans une aria s'entend) : un aparté *(...)*. Je voudrais là une aria qui coule tout naturellement, où je ne sois pas tant lié aux paroles, que je puisse écrire aussi à la suite tout facilement. »

Et encore :

« L'aria pour Raaf n'est pas telle que nous l'avons désirée ; c'est-à-dire qu'elle ne devrait exprimer que calme et satisfaction, or ces sentiments n'apparaissent ici que dans la seconde partie. Les malheurs qu'Idoménée a eu à supporter, nous les avons assez vus pendant tout l'opéra, assez entendus et éprouvés, il peut donc bien parler maintenant de sa situation précédente. D'ailleurs, nous n'avons besoin d'aucune seconde partie, ça n'en sera que mieux. »

En cela aussi, le fantasque Wolfgang a mûri. Il a pleinement conscience de l'enjeu. Il doit impérativement composer un magnifique opéra : la renommée de ce succès lui permettra, il en est sûr, de s'échapper de Salzbourg aussi souvent qu'il le voudra.

Il n'éprouve d'ailleurs aucune espèce d'angoisse à s'attaquer à ce nouveau projet. Bien au contraire il vibre d'une exaltation, d'une fébrilité qui le transcende jour et nuit.

Il surveille tout, jusque dans le moindre détail. La mise en scène, les costumes, les répétitions des chanteurs à qui il inculque l'exacte tonalité de leurs arias. Comment douterait-il, d'ailleurs ? Mozart n'intellectualise pas ses créations. Il les laisse jaillir de sa plume comme une source pure et inépuisable, chaque fois nouvelle, chaque fois fulgurante.

Et puis enfin, enfin il l'a, cet opéra allemand dont il a tellement rêvé !

Pendant ce temps, Léopold, à qui Wolfgang soumettait autrefois ses craintes et les phases d'écriture de ses compositions, intervient de Salzbourg pour donner des conseils de prudence : chez lui aussi, on sent la peur d'un nouvel échec. L'inquiétude le taraude, et plutôt que de faire confiance au génie de son fils, il le harcèle de conseils timorés qu'il pense sincèrement judicieux : « Rappelle-toi que tu ne dois pas travailler seulement pour les amateurs de musique, mais aussi pour le grand public. Tu sais, pour dix connaisseurs, il y a cent ignorants. Ne néglige pas l'approbation du peuple et tâche de chatouiller ses longues oreilles. »

Wolfgang, avec l'impertinence de celui qui sait son travail réussi, répond avec une insolence de bon augure : « À l'égard de ce que l'on appelle le populaire, ne vous faites aucun souci. Dans mon opéra, il y a de la musique pour toutes sortes de gens – sans excepter les longues oreilles. »

Et c'est effectivement un succès retentissant ! La première a lieu le 29 janvier 1781. Mozart a vingt-cinq ans depuis deux jours. Les applaudissements en rafales de la foule, ainsi que les bravos de son père et de sa sœur venus spécialement à Munich assister à la représentation, gonflent son cœur d'un inextinguible bonheur.

Une intense jubilation le secoue tout entier. Il le sait. Il le sent, il faut qu'il continue dans cette voie, et dans cette voie uniquement. Il ne peut pas rester le domestique d'un prince, fût-il conciliant. Or, justement, Colloredo ne l'est pas.

Wolfgang est monté sur scène, frêle silhouette aux joues enfiévrées, au regard chaviré d'allégresse. On le bisse, on l'applaudit, on l'ovationne. La profusion de ses cheveux poudrés s'échappe du catogan. Il serre la main de Raaf, celles des deux sœurs Wendling, se retourne, salue encore et esquisse un étrange, un drôle de petit rire étouffé, légèrement sarcastique.

Puis il salue bien bas, et se salue d'ailleurs lui-même pour son idée : c'est décidé, il ne rentrera pas à Salzbourg. Quoi qu'en dise Léopold. Quoi qu'en dise Colloredo.

Il a vingt-cinq ans, il est libre !

9

CONSTANCE, LA RENCONTRE

« Je vous conjure d'être gai,
car aujourd'hui commence mon bonheur ! »
MOZART, 9 mai 1781.

Le 29 novembre 1780, Marie-Thérèse d'Autriche meurt et Wolfgang, tout aux répétitions de son opéra, ne prête pas grande attention à l'événement, sinon à s'inquiéter de l'envoi de son habit noir pour respecter le deuil : « Il faut que je l'aie, ou l'on se moquera de moi. »

Les conséquences de ce décès seront pourtant capitales pour lui, mais il l'ignore encore. Il est loin le temps où, à Schönbrunn, enfant, il avait embrassé si fort Son Altesse et souri si gentiment qu'elle lui avait offert sa première tenue d'apparat, un petit costume vert galonné d'or qui avait appartenu à son propre fils.

À Munich, Wolfgang, occupé jour et nuit par son opéra, est trop passionné, trop fiévreux pour être distrait de sa création. Et puisque le prince-archevêque est obligé de quitter Salzbourg pour Vienne, en toute hâte, à cause des obsèques de l'impératrice, Léopold et Nannerl profitent de cette absence pour gagner la capitale bavaroise, le 26 janvier 1781, et assister au triomphe de leur Wolfgang.

Économies obligent, le père et la fille s'installent dans la chambre du fils, et de nouveau Léopold est à ses côtés, avec son regard et ses mots de censeur. Mais Wolfgang a fermement décidé de passer outre cette contrainte : dehors, dans la rue, tous les jours, le carnaval bat son plein. L'atmosphère est à l'euphorie générale, à la fête, aux rires...

Le soir, à l'opéra, Mozart dirige l'orchestre. Elizabeth et Dorothée Wendling – avec le ténor Raaf, l'ami des bons et des mauvais jours – créent les rôles, mettent tout leur cœur dans l'exécution de cette œuvre.

Chaque représentation recueille les mêmes louanges. Le succès est général, prodigieux... et chaque soir, Wolfgang fait la fête. Pour la plus grande indignation de Léopold qui lui reprochera pendant des mois cette « inconséquence », ce mépris total de l'épargne.

« Si j'ai été trop gai, c'est folie de jeunesse : je pensais en moi-même : où vas-tu aller ? À Salzbourg ! Donc jouis de ton reste », répond très patiemment Wolfgang.

De cette jouissance naît d'ailleurs une délicieuse composition qu'il dédie au hautboïste Raam : le *Quatuor avec hautbois en fa majeur* (K. 370). « Un véritable chef-d'œuvre, dans l'union qu'il réalise de l'esprit concertant et de l'esprit de la musique de chambre », nous dit Alfred Einstein, dont c'était l'une des œuvres préférées.

Mais ce séjour, qui « comptera longtemps après parmi les jours les plus agréables de sa vie » si l'on en croit Nissen, il lui faut l'abréger.

Colloredo est à Vienne, où il est venu se présenter pour l'intronisation du nouvel empereur, Joseph II. Et le prince-archevêque ne peut supporter l'idée que son domestique détesté, pour lequel il n'éprouve aucune espèce de considération (il n'aimait que la musique italienne), puisse se couvrir de succès.

De plus, on l'a dit, le délai de six semaines de congé consenti pour l'écriture de cet opéra est largement dépassé. Pourquoi Mozart traîne-t-il à Munich ? Colloredo redoute qu'il ne profite de cette prolongation et de son intolérable succès pour décrocher une bonne place de musicien... et lui faire faux bond.

Et cela, le prince ne pourrait le supporter. Il lui faut agir, et vite, s'il veut garder le contrôle de cet esprit fantasque, si rude à dresser, si difficile à casser. L'injonction est formelle : Wolfgang doit quitter Munich sur l'heure, et rejoindre son maître à Vienne où se tient déjà toute sa domesticité.

Comment ? Quitter Munich quand on y donne encore *L'Enlèvement* ? Abandonner ses amis, leur présence affectueuse, leur complicité musicale ? Wolfgang peste, tempête, trépigne, proteste, mais rien n'y fait.

Le 16 mars 1781, à 9 heures du matin, il arrive à

Vienne pour se présenter à son maître. On lui rappelle ses fonctions. On lui dicte son emploi du temps.

Désormais, il vivra à la « Maison allemande », un hôtel particulier où Colloredo prend ses quartiers lorsqu'il se rend dans la capitale autrichienne. Et puisqu'il le faut Mozart s'y installe, mais avec la ferme résolution de ne plus se laisser mater. Son succès tout nouveau, l'air de liberté dont il vient d'emplir ses poumons, l'ovation du public qui l'a rassuré non sur son talent, mais sur l'accueil que le monde réservera à son œuvre, dégagent ses épaules, assurent sa démarche.

Ce n'est plus le *Konzertmeister* de la cour du prince-archevêque qui vient se présenter aux ordres, c'est Wolfgang Amadeus Mozart, un musicien bien décidé à gagner sa liberté et son indépendance, et à se débarrasser une bonne fois pour toutes de ce cauchemar vivant qu'est – aujourd'hui plus que jamais – Hyeronymus Colloredo.

Un tyran que la rage et la jalousie doivent aveugler : sinon comment expliquer la magistrale erreur qu'il vient de commettre ?

En faisant entrer Mozart à Vienne, il met « son » musicien au contact direct de tout ce que la ville compte de mélomanes avertis, d'aristocratie argentée parfaitement susceptible de l'engager.

Un péril bien réel que Colloredo ne perçoit pas. Avec cet impérieux rappel, il pense avoir réussi une double opération : écarter Wolfgang de son propre succès, et rappeler au monde que ce compositeur si fort apprécié vit sous sa livrée. Toutes ses préoccupations visent à humilier Wolfgang, à le rappeler à sa condition.

« Parlons de l'archevêque. J'ai une merveilleuse chambre dans la maison même où il loge. Brunetti et Ceccarelli (violoniste et castrat de la cour salzbourgeoise) logent dans une autre maison. *Che Distinzione !* *(...)* Dès midi, un peu trop tôt pour moi, nous allons à table. Il y a là ces deux messieurs : messieurs les valets de chambre du corps et de l'âme, monsieur le contrôleur, Monsieur Zetti, le pâtissier, ces deux messieurs les cuisiniers, Ceccarelli, Brunetti – et Ma Petitesse. Note bien : ces deux messieurs les valets de chambre prennent place au haut de la table – Moi, j'ai du moins l'honneur d'être assis avant les cuisiniers. Enfin, je pense vraiment être à Salzbourg. »

Pauvre Wolfgang, qui tourne en rond et n'entend, de l'activité musicale viennoise, que les échos. Si Colloredo l'a rappelé auprès de lui, ce n'est certes pas pour le voir nouer d'autres liens ou donner des concerts hors son autorité.

Il y a beau temps déjà que le prince-archevêque a perfidement interdit à ses musiciens de se produire pour leur propre compte. S'ils veulent faire de la musique, qu'ils en fassent donc, mais dans la stricte limite des « académies » données à la « Maison allemande », ou dans le cadre de « prêts » consentis à l'ambassadeur de Russie par exemple, ce prince Galitzine auquel il a laissé son orchestre à l'occasion d'une réception.

Mais cette fois-ci, dégagé de la censure de Léopold, Mozart décide de ne céder sur rien. Toutes les occasions sont bonnes pour fuir sa prison et se présenter dans les maisons aristocratiques. Certaines lui ouvrent largement leurs portes, comme la comtesse Wilhelmine von Thun. Cette grande « amie » de Joseph II, admiratrice fervente de Joseph Haydn et passionnée de musique (elle sera, sur ses vieux jours, la protectrice et la confidente de Beethoven), le reçoit à sa table presque tous les jours. Il la régale de ses improvisations au piano, elle l'encourage à écrire, à se produire et, sans le savoir, à fronder.

« Si je ne reçois rien, en salaire, de l'archevêque, j'irai le trouver et lui dirai tout net... que s'il ne veut pas que je gagne quelque chose, il doit me payer de telle sorte que je ne sois pas obligé de vivre à mes frais. »

De toute évidence, il cherche un conflit qui ne tarde pas à se présenter : invité à jouer, par l'entremise de la comtesse von Thun, lors d'un concert organisé par la caisse des veuves et orphelins des musiciens viennois – auquel Joseph II doit assister en personne –, Mozart ne tient plus en place.

Cette société qui s'enthousiasme à l'idée de le compter parmi ses concertistes, n'est-ce pas celle qui l'a apprécié et applaudi à Munich ? Celle qui s'est inclinée devant le prodigieux talent du jeune *Konzertmeister* ? Le tout fait tant de bruit que Colloredo excédé oppose au projet un refus glacé. Non, il ne prêtera pas Mozart. Mozart lui appartient.

Mais Mozart résiste. Rassuré par l'amitié de la comtesse von Thun, donc nanti d'introductions en haut lieu, il fait intervenir qui de droit et l'emporte : dès lors, Colloredo n'a plus qu'à s'incliner, la rage au cœur. Quel affront ! Quelle humiliation infligée par ce jeune impertinent, ce paysan mal dégrossi qui n'a que des notes dans la tête, là où devraient se trouver des notions de respect, d'humilité, et de soumission !

Comble de rage : Mozart enchante les cent quatre-vingts personnes qui assistent à l'événement : des aristocrates, des princes, des comtes, et jusqu'à l'empereur.

« Ce qui m'a fait le plus plaisir, ç'a été le silence extraordinaire, et puis, dans les intervalles des morceaux, les cris de bravo. »

Vienne aime Mozart ? Vienne veut l'entendre ? Très bien. Dès le lendemain de ce triomphe, le 4 avril 1781, Colloredo ordonne à Wolfgang de regagner Salzbourg séance tenante.

Comment va-t-il réagir ? Démissionner une seconde fois ? L'envie ne lui en manque pas, mais il a déjà fait l'amère expérience des suites d'un départ inconsidéré. Et désormais, il sait que la faveur des princes n'ira jamais jusqu'à l'appuyer dans sa démarche s'il lui prenait l'envie de tenir tête à l'un des leurs ! Maximilien à Munich, Karl Theodor à Mannheim, malgré la sincère admiration portée à sa musique, l'ont désavoué pour cette même raison.

Alors, il mûrit son plan : il va provoquer Colloredo. C'est lui le maître, c'est donc à lui de rompre leur contrat. Et Wolfgang compte bien gagner, dans cette opération, l'appui de Léopold.

*
**

Or, contrairement à ce qu'il espère, Mozart va devoir mener sa bataille sur deux fronts : à l'avant, avec Colloredo, sur les arrières avec Léopold, littéralement horrifié par la décision de son fils.

Par quelle aberration Wolfgang peut-il songer à se libérer de la tutelle du prince sans rien avoir en main que de beaux espoirs ? Sans même qu'on lui ait, par ailleurs, proposé une situation, passé commande d'un opéra ? Est-il fou ? Jamais, dans toute l'histoire de la musique, un compositeur n'a écrit pour son propre compte. Faut-il encore lui ressasser qu'être musicien, c'est d'abord être docile ? Faut-il lui rappeler que les congés et voyages ne sont consentis que du bout des lèvres ? Que sans la protection d'un César, un artiste n'est rien d'autre qu'un vulgaire saltimbanque ? Ô Dieu, pourquoi un tel talent est-il assorti d'une si fantasque irresponsabilité ? s'interroge le malheureux père. Il y a deux ans qu'il use toutes ses forces à reconstituer la cohésion familiale, qu'il rembourse sou après sou ses dettes, et voilà qu'au moment où la vie pourrait reprendre douce et heureuse, Wolfgang, les rênes à peine relâchées, se dérobe. Commet des folies. Entame un irréversible processus de divorce. Car s'il l'emporte, Wolfgang, c'est certain, ne reviendra jamais à Salzbourg... Et cela, Léopold ne peut le supporter. Atteint en plein cœur il souffre, comme un homme qui voit fuir l'amour autour duquel il a bâti toute sa vie, construit tous ses espoirs, caressé tous ses rêves. Anna-Maria est morte. Wolfgang veut s'envoler. Nannerl est là, bien sûr, toujours attentive et dévouée, mais ce n'est pas vers elle que va sa préférence...

Comme il s'angoisse, cet homme de soixante ans auquel Wolfgang vient d'assener un coup de poignard en traître ! Et comme il se trompe d'objet ! Mais pouvait-il deviner qu'au même instant le sort lui réservait un choc plus douloureux encore ? Un piège qui avait pour nom Constance ?

En attendant, pendant qu'à Salzbourg Nannerl use ses yeux à déchiffrer les lettres de son frère, et Léopold ses dernières réserves de patience à rédiger des suppliques, des conseils de prudence et des exhortations, Wolfgang, résolument lancé dans sa bataille contre Colloredo, passe à l'offensive.

Pour bien marquer son désaccord avec la décision arbitraire de son maître, pour échapper à sa censure et à son pouvoir, il déménage. Fini, la « Maison allemande ». Après quelques semaines pendant lesquelles il temporise, fait mine d'accepter de partir pour Salzbourg tout en évoquant de multiples prétextes pour retarder son départ, il prépare ses malles. Colloredo lui adresse alors un courrier ordonnant un départ imminent.

Wolfgang feint de ne pas le recevoir. Et le 1er mai, il fait ce qui lui plaît et court s'installer chez... Maria-Ceacilia Weber.

Veuve depuis quelques mois, bien rémunérée par le poste d'Aloysia, elle dispose d'un grand appartement, « l'Œil de Dieu », dont elle loue quelques chambres proches de celles où elle vit, entourée de ses trois filles : Josepha, l'aînée, qui a vingt-trois ans, Constance qui en a dix-huit, et Sophie, la cadette, à peine quatorze. Aloysia n'est plus là. Envolé l'oiseau de paradis. Elle a épousé Joseph Lange, un acteur-peintre fortuné avec lequel elle forme un couple très heureux.

Est-ce son souvenir qui ramène Wolfgang chez les Weber ? Des séquelles douloureuses d'une passion dont il aurait mal guéri ?

La réponse est formelle : c'est non ! Non, Wolfgang ne choisit pas la maison de Maria-Caecilia Weber à la poursuite de rêves révolus. S'il élit ce domicile, c'est qu'il lui semble être, parmi tous ceux de Vienne, le terrain le plus neutre pour continuer à mener sa bataille. Il pourrait aussi bien s'installer dans n'importe quel meublé de la ville, mais il déteste être seul. Il est trop unique, trop original dans ses pensées, dans ses conceptions, dans la voie même qu'il a choisi de suivre pour aimer la solitude physique. Et puis, là, chez les Weber, il est au sein de la société qu'il préfère : celle des femmes.

Encore et toujours, ce sont elles qui le soutiennent, le reçoivent. Hormis certains amis musiciens, son commerce avec les individus de son sexe est assez pauvre, et plus encore à Vienne où il vient juste d'arriver.

Même chez la comtesse von Thun, il lui faut veiller à contrôler son langage et ses frasques. Au cœur de la bataille qui l'oppose à Colloredo, il se doit de refréner ses pulsions fantasques, ses accès d'hilarité, ses provocations incompréhensibles.

« Jamais on ne reconnaît moins le grand homme en Mozart que lorsqu'il était occupé à un ouvrage important, témoigne Nissen. En ces moments, non seulement il s'exprimait de manière confuse et désordonnée, mais faisait aussi des plaisanteries qu'on n'attendait pas de lui, et parfois même il s'oubliait délibérément dans sa conduite. Ou bien il dissimulait à dessein sa tension intérieure sous une frivolité superficielle, pour des raisons insondables, ou bien il prenait plaisir à opposer brutalement les divines idées de la musique à ces soudains éclats de vulgarité et à s'amuser en semblant se moquer de soi-même. »

Chez les Weber, il est en sûreté. Ici, on ne lui fait pas grief de son comportement et puis, surtout, leur territoire est interdit à Léopold. Jamais il n'essaiera de soudoyer l'hôtesse de son fils pour en obtenir des renseignements, pour l'amener à le sermonner, voire à le renvoyer, comme il le fit avec les Cannabich ou avec le baron Grimm.

« J'ai là une jolie chambre et suis chez des gens serviables, tout à ma disposition pour toutes ces choses qu'on a souvent besoin d'avoir très vite et qui manquent quand on est seul », écrit Wolfgang à Léopold, pour l'amadouer. Et il ajoute, la semaine suivante : « La vieille madame Weber est une femme très obligeante, et je ne puis assez lui témoigner, faute de temps, tout ce que je lui dois, à proportion de son obligeance. »

Son obligeance ? Allons donc ! Quelques semaines s'étaient à peine écoulées après la mort de son mari – et la famille venait tout juste de s'installer dans la capitale autrichienne – que déjà Maria-Caecilia Weber décidait d'assurer ses vieux jours. Elle devait au théâtre de la cour neuf cents florins consentis à Fridolin en avance sur salaires. Mais Fridolin disparu, il lui fallait les rembourser. Or, elle ne voulait ni restituer cette somme, ni renoncer au joli salaire d'Aloysia.

Justement, celle-ci venait de rencontrer Joseph Lange, veuf de sa femme, première cantatrice à l'opéra... À vingt-neuf ans, il avait quelque fortune, touchait de bons appointements en tant que comédien à la cour et peintre à son compte. Et de surcroît, comme en a témoigné Wolfgang, il se montrait fort épris de la ravissante Aloysia, laquelle partageait son sentiment.

Hélas pour eux, si Maria-Caecilia rêvait mariage, c'est à Josepha et à Constance qu'elle pensait. Ces deux-là ne travaillaient pas et leur départ, contrairement à celui d'Aloysia qui entretenait toute la famille, allégerait le train de maison.

Elle commença par interdire à sa fille de voir Joseph Lange. Lequel, fou amoureux et désespéré, finit par consentir à signer un contrat à sa future belle-mère. Un contrat stipulant qu'il acceptait bien de lui verser la coquette somme de six cents florins de rente.

Allait-il enfin pouvoir mener sa belle à l'autel ? C'était compter sans la vénalité, sans l'avidité de la vieille

Weber. Le contrat bien en main, un contrat où rien n'indiquait qu'elle consentait à marier sa fille en échange de la rente, elle allait continuer d'intriguer, d'ourdir complot sur complot pour brouiller les deux amoureux. Le but étant de garder, dans le même temps, et l'argent de Joseph et sa fille !

Il fallut l'énergique intervention d'un avocat pour l'obliger à consentir au mariage. De « résistibles » noces célébrées le 31 octobre 1780, en la cathédrale Saint-Étienne, sur un ultime succès de Maria-Caecilia qui avait encore obtenu de son gendre le remboursement de la dette qu'elle avait toujours envers le théâtre de la cour.

Mais comment Mozart aurait-il pu connaître ces misérables manœuvres, ces extorsions de fonds ? Tout cela s'était passé bien avant son installation chez les Weber. Pour l'heure, entouré, choyé par quatre femmes qui ne savent que faire pour le réconforter après ses exténuantes batailles contre Colloredo et Léopold, il se sent suffisamment compris pour résister.

C'est qu'avec l'archevêque, ses relations s'aggravent. Les incidents se multiplient, déclenchés la plupart du temps de sa propre initiative. Depuis sa violente entrevue avec Colloredo, Wolfgang cherche à faire entériner sa démission par le prince. Or l'homme est rancunier et tenace dans sa volonté de nuire. Puisque son domestique, « un débauché et un polisson », lui a joué la carte de l'inertie, il va en faire autant. Wolfgang, qui a officiellement quitté son service, ne touche plus aucun salaire et ne peut se produire en public tant que son départ de la cour de Salzbourg n'est pas officiellement accepté. Passer outre cette règle serait encourir une mise en quarantaine de l'aristocratie viennoise, quand bien même il continuerait à bénéficier du soutien de la comtesse von Thun et du duc de Coblence, tous deux intimes de l'empereur Joseph II.

Reste donc, par l'entremise de son père d'une part — dont il cherche à se préserver l'amour — et par le comte Karl Arco d'autre part, à obtenir que son maître, « qu'il hait jusqu'à la frénésie », lui rende sa liberté.

Le combat est épuisant, particulièrement avec Léopold à l'égard duquel il emploie tout l'arsenal des armes douces. Lettre après lettre il lui rappelle son inconditionnel amour, son attachement profond. Il le rassure sur son succès. Sur les fonds qui ne tarderont pas à affluer dans ses caisses personnelles. Sur cet opéra que le jeune Stephanie doit lui commander en l'honneur de la visite à Vienne du grand-duc Paul de Russie, le fils de Catherine II. Jamais il n'est désagréable. Jamais il n'a recours à cette vérité pourtant éclatante : il n'a plus de dette morale vis-à-vis de son père. À vingt-cinq ans, il est un homme en droit de vivre sa propre vie. Léopold s'est-il préoccupé de sa miséreuse famille, lui qui fut le seul à s'élever dans l'échelle sociale ? A-t-il, une seule fois, tenté de retrouver son parrain, celui à qui il devait tout ?

Pourtant, jamais Wolfgang n'injurie, jamais il ne rabroue. Et quelle patience ! Si les lettres que Léopold a écrites durant cette période n'existent plus — Wolfgang n'avait pas hérité de son esprit d'archiviste rigoureux –, les réponses méthodiques de son fils, la litanie des reproches qu'il reprend pour s'en défendre, augurent du pire.

Et l'on peut faire confiance à Léopold pour culpabiliser Wolfgang. Ne l'a-t-il pas maintes fois accusé d'être responsable, par son inconséquence et son égoïsme, de la mort d'Anna-Maria ?

Mais en dépit de tout, de la situation précaire que connaît Mozart, de son incertitude quant à l'avenir et de la rareté de ses ressources (il a deux élèves grâce à la comtesse von Thun) qui l'empêchent d'envoyer les gages de sa réussite en espèces sonnantes et trébuchantes ; au-delà de ces pressions, de ce pilonnage épuisant, quelle dignité dans ses réponses !

« Je vous en prie, mon très cher, mon excellent père, ne m'écrivez plus de pareilles lettres, je vous en conjure, car elles ne servent qu'à m'enfiévrer la tête et à me troubler le cœur et l'esprit. Et moi, qui ai maintenant constamment à composer, j'ai besoin d'une tête sereine et d'un esprit tranquille. »

On en est bien loin ! Tout s'envenime, tout se précipite jusqu'à la dramatique entrevue avec le comte d'Arco où Wolfgang reçoit, en guise de licenciement, un « coup de pied au cul » !

Cette fois-ci la rupture est consommée, et le point de non-retour dépassé. Wolfgang tremble de rage et d'humiliation :

« Eh bien cela signifie, en allemand, que Salzbourg n'est plus pour moi, à moins d'une bonne occasion de rendre à M. le comte un coup de pied au cul, quand il passerait en pleine rue. Je ne réclame aucune satisfaction de l'archevêque, car il ne serait pas en état de me la fournir de la façon même que j'entends me la donner... »

Dégagé de « toute cette affaire » dont, très vite, il ne veut même plus entendre parler, il va refuser de présenter des excuses à la cour de Salzbourg, comme le lui demande Léopold, en invoquant son honneur, son nom, sa moralité !

Une moralité compromise, elle aussi. À Salzbourg, on murmure que Wolfgang vit comme un débauché et abuse de Constance Weber chez laquelle, contre toute règle de bienséance, il s'est installé. Les ragots vont bon train. Là où les esprits les plus délicats ne donnent qu'un prénom – curieusement, c'est celui de Constance –, d'autres, plus friands de sensationnel, plus médisants, colportent des scènes affriolantes où Wolfgang s'en donnerait à cœur joie avec les trois femmes.

Après la rupture de son fils avec la cour qui a fait le tour de la ville, Léopold est aux cent coups. N'est-ce pas suffisamment vexant pour lui d'être devenu transparent aux yeux des plus frileux, lesquels s'inquiètent d'être vus en compagnie de l'ennemi du prince, fût-ce par père interposé ? Or voilà maintenant que Wolfgang-le-provocateur, l'insolent, serait de surcroît un horrible séducteur, un viveur impénitent affichant ses vices aux yeux du monde !

Il lui intime l'ordre de quitter la demeure des Weber. Wolfgang résiste. Il est heureux à l'Œil de Dieu. Les horaires sont fantaisistes, la vie simple, bohème. On ne s'y encombre pas de règles étouffantes et l'on y peut vaquer à son aise, quelle que soit l'heure du jour et de la nuit.

« Change d'adresse », insiste Léopold.

Cette fois-ci Wolfgang obtempère, du moins en intention. Mais il jure ses grands dieux que toute cette histoire n'est que médisance : « Je suis fâché d'être contraint par un absurde bavardage où il n'y a pas un mot de vrai. Je voudrais bien savoir quelle joie certaines gens peuvent avoir à parler ainsi tout le jour sans aucun fondement. Parce que j'habite chez elles, il s'ensuit que j'épouse la fille. Si j'en suis épris ? Il n'en est pas question : c'est un point par-dessus lequel on saute ; mais je me loge dans la maison, donc j'épouse. »

Vrai ou faux ? Impossible de savoir si déjà, ce 25 juillet 1781, Wolfgang est consciemment amoureux de Constance Weber. Mais on connaît trop son caractère ouvert, généreux, confiant, pour ne pas l'imaginer libertinant avec elle. Cette complicité est si différente du vent de passion soufflé par Aloysia qu'il ne songe peut-être pas à prendre le pouls de ses sentiments. Mais ils sortent ensemble. On les a vus se promener sur le Prater tout neuf, offert aux Viennois par Joseph II. On les a surpris en train de rire au théâtre. Conversant, plaisantant...

Et puis Wolfgang est trop polarisé par l'événement heureux qui vient d'éclairer sa vie pour se livrer à ces

209

jeux de l'introspection qui ne l'ont jamais trop attiré. La promesse d'un opéra à composer pour le grand-duc Paul se concrétise. Le 16 juin 1781, Gottlieb Stephanie, dit Stephanie le Jeune, inspecteur du théâtre allemand à Vienne, lui passe commande de cette nouvelle œuvre dont il a lui-même écrit le livret, *L'Enlèvement au sérail.* Curieuse, mais simple coïncidence, l'héroïne s'appelle Constance...

Et tout à sa fièvre d'écrire, Wolfgang en oublie de déménager. D'ailleurs comment trouverait-il le temps d'y songer entre les incessantes querelles qui polluent désormais tous les rapports avec son père et ses visites quotidiennes chez la comtesse von Thun pour lui exposer son travail et se réchauffer le cœur à la chaleur de ses réponses, de ses encouragements : « Elle m'a dit, à la fin, qu'elle oserait bien gager sa vie que ce que j'ai écrit à présent aura un succès certain. »

En attendant ces temps heureux, il refuse de se mettre en quête d'un autre logement. Il n'a ni les moyens de prendre le premier appartement venu, ni l'envie de renoncer au confort physique et moral de sa pension chez les Weber, ni le désir de déménager ses affaires, de trouver un piano, de se lier avec de nouvelles têtes. Et lorsqu'il consent enfin à s'exiler, la pression paternelle ayant atteint son comble, c'est pour s'installer à deux pas de... l'Œil de Dieu !

« J'ai maintenant une fort jolie chambre meublée sur le Graben. Lorsque vous lirez ces lignes, j'y aurai déjà emménagé. »

Et, à sa sœur, le 19 septembre :

« Je t'ai fait faire l'adresse chez Peisser *[correspondant à Vienne de leur propriétaire sazlbourgeois, Haguenauer]* mais il faut alors mettre la lettre dans une enveloppe extra, et cela coûte tout de suite seize kreuzers. Écris-moi donc plutôt à l'Œil de Dieu, au deuxième étage. »

Obéissant puisqu'il a bien déménagé et... désobéissant parce qu'il continue de passer les soirées qu'il ne réserve pas à ses parties de billard ou à la composition de ses opéras chez les Weber, et plus particulièrement auprès de Constance.

Léopold se doute-t-il de l'assiduité des fréquentations de Wolfgang ? Bien sûr. Il tempête, menace et découvre, en le lisant, un fils que rien ne démonte.

« Mon très cher père.

« Je constate malheureusement que (comme si j'étais un vaurien, ou un idiot, ou les deux à la fois) vous croyez plus ce que racontent et écrivent les autres gens que moi, et que par suite vous n'avez aucune confiance en moi. Pourtant, je vous assure que tout cela ne me fait rien, à moi. Les gens peuvent bien écrire à se faire sortir les yeux de la tête, et vous pouvez les croire autant que vous voulez, je ne changerai pas de ce fait mon attitude pour un cheveu, et resterai le même honnête garçon, comme d'habitude. Je vous jure que si vous n'aviez pas voulu que je prenne un autre quartier, je n'aurais sûrement pas déménagé. Car c'est comme abandonner sa propre voiture, si commode, pour s'asseoir dans une diligence. Mais silence – cela ne sert

211

à rien – les sottises que Dieu sait qui vous a mises en tête auront toujours raison de mes arguments.

« Mais je vous demande une chose : lorsque vous m'écrivez que vous n'approuvez pas ce que je fais, ou que vous pensez qu'on pourrait faire mieux – et que je vous fais part de mes pensées en retour – je tiens cela pour quelque chose qui se dit entre père et fils, donc pour un secret qui n'est pas destiné à être connu des autres. Je vous en prie donc, tenez-vous-en à cela, et ne vous adressez pas à d'autres gens, car, par Dieu, je ne rends pas compte le moins du monde de mes faits et gestes aux autres, fût-ce à l'empereur. Ayez confiance en moi, je le mérite.

« J'ai assez de soucis et d'ennuis pour subvenir à mes besoins ; lire des lettres fastidieuses n'est pas mon affaire. Dès que je suis arrivé ici, j'ai dû financer par moi-même mes besoins, et j'y suis parvenu grâce à mes efforts – les autres ont tous eu recours à leur salaire. *(...)* D'après toutes vos lettres, je vois bien que vous croyez que je ne fais que m'amuser ici. Comme vous vous trompez ! Je crois pouvoir dire que je n'ai aucun plaisir, absolument aucun, sauf celui de n'être pas à Salzbourg. »

On est en septembre. Le temps a fait son œuvre. Les langues se sont un peu calmées et, désormais, toutes les lettres de Wolfgang à son père touchent à l'écriture de *L'Enlèvement au sérail,* pour lequel il essuie déconvenue sur déconvenue. Non seulement l'archiduc Paul, de passage, n'a pu l'entendre – il n'est toujours pas écrit – mais on lui a préféré Gluck pour cette fête ! Et puis il s'est brouillé avec Gottlieb Stephanie. Sans compter qu'il est peut-être victime d'une cabale dont la postérité ne saura jamais rien. Pourquoi Léopold, qui archive toujours si soigneusement ses documents, a-t-il détruit toutes les lettres concernant cette période ?

Pourquoi Wolfgang semble-t-il avoir oublié Constance ? N'est-elle réellement qu'une simple camarade, et rien de plus ? Ou bien cache-t-il, comme à son habitude, la vérité à son père, préférant, pour s'éviter « la lecture de lettres fastidieuses » et d'épuisants rapports de force, le mettre devant le fait accompli ?

La seconde hypothèse reste, sans aucun doute, la plus plausible. D'autant qu'à cette même époque, Léopold doit lutter sur deux fronts : car Nannerl, qui est enfin amoureuse, rêve de se marier ! À trente ans – un âge canonique pour convoler en justes noces au XVIIIe siècle – il est temps d'y songer !

Le soupirant s'appelle Franz Armand d'Ippold. Il a cinquante ans. Ancien capitaine des armées impériales, nommé majordome des pages, en 1775, puis conseiller à la guerre deux ans plus tard, il a pris la direction du Collegium Virgilianum de Salzbourg, une école exclusivement réservée aux jeunes de la meilleure noblesse. Ce qu'Ippold ne possède pas en fortune, il peut l'offrir en titre. Pourtant, lorsqu'il demande la main de Nannerl à son père, le refus est sans équivoque.

Nannerl, qui n'a pas l'énergie de son frère, s'incline devant la décision paternelle. Un mariage sans bénédiction parentale friserait le sacrilège, et elle est trop soumise, trop attachée aussi à Léopold pour contester sa position. Mais ce refus la secoue si profondément qu'il en affecte sa santé !

« J'ai appris par la dernière lettre de notre cher père que tu étais malade, lui écrit aussitôt Wolfgang pour la réconforter. Et ça n'a pas été sans me causer du souci et de la peine. Ainsi, tu as dû suivre une cure de bains pendant quinze jours, cela signifie donc que tu étais malade depuis longtemps, et je n'en savais rien ! Je veux maintenant t'écrire sincèrement, justement au sujet de tes indispositions continuelles. Crois-moi, sœur chérie, très sérieusement, la meilleure cure pour toi serait un mari. Et comme, justement, cela aurait une telle influence sur ta santé, je souhaiterais de tout cœur que tu te maries bientôt. Écoute ce que je pense : tu sais que j'écris actuellement un opéra. Ce qui est terminé a eu un succès extraordinaire. Si cela réussit, je serai apprécié ici comme compositeur tout comme pianiste... Pour toi et d'Ippold, on trouvera difficilement – je crois même rien du tout – à Salzbourg. D'Ippold ne pourrait-il pas se mettre en route ici pour lui ? Pose-lui la question. S'il croit que l'affaire puisse marcher, il n'a qu'à m'indiquer la route à suivre. Je ferai certainement l'impossible. Si cela réussit, vous pouvez vous marier. Crois-moi, tu gagnerais ici suffisamment d'argent – par exemple en jouant dans des académies privées, et en donnant des leçons. Avant de savoir que la chose était très sérieuse entre d'Ippold et toi, j'avais déjà pensé à quelque chose comme cela pour toi, mais l'obstacle était notre cher père. Je voudrais que cet homme trouve le repos, et n'ait pas à s'éreinter ni à se tracasser. Cela pourrait se faire de cette manière, car grâce aux revenus de ton mari, aux tiens et aux miens, nous pourrions bien nous en sortir et lui permettre de vivre dans le calme et le bonheur... »

Peut-on imaginer fils plus généreux, plus attentif, plus prévenant ? Wolfgang, qui mesure les souffrances qu'endure silencieusement Nannerl, sait que jamais Léopold ne lui permettra de quitter la maison paternelle et qu'elle doit, elle aussi, s'émanciper et fuir Salzbourg pour s'épanouir.

Bien décidé à se mettre en quatre pour elle et son futur mari, il tente d'abord de la rassurer sur le sort matériel de leur père – qu'il est hors de question d'abandonner – puis l'encourage à vivre sa vie et à construire son bonheur.

Autant de conseils que Nannerl ne suivra pas. Autant de propositions auxquelles, hélas, elle ne donnera pas suite, au grand désappointement de son frère.

Mais si Nannerl n'a ni le front de résister, ni celui d'imposer son amour, Wolfgang, de son côté, n'a nullement l'intention de s'incliner à son tour.

Il lui faut donc faire entrer Constance en scène.

Et il va le faire de la façon la plus douce, la plus fine qui soit : en lui demandant de copier pour lui, en post-

215

scriptum d'une lettre où il n'est question que de l'acte I de *L'Enlèvement au sérail*, l'aria de... Constance !

> *« Ah, j'aimais, j'étais si heureuse,*
> *J'ignorais le chagrin ;*
> *À celui que j'aimais, je jurais de rester fidèle*
> *Et je lui donnais tout mon cœur !*
> *Pourtant bien vite, ma joie s'en est allée*
> *Me laissant pour douloureux destin*
> *Les larmes d'une séparation ;*
> *Et maintenant, le chagrin habite mon cœur. »*

10

LE MARIAGE

« Je l'aime, et elle m'aime de tout cœur... »

Le 15 décembre 1781, Wolfgang fait éclater sa bombe. Ou plutôt sa première bombe. Avec un sens de la dramaturgie consommé – on n'est pas auteur lyrique pour rien –, il jette, en conclusion d'une lettre où il n'est question que de la vie mondaine et musicale de Vienne, une phrase sibylline dont il est sûr qu'elle alertera vivement Léopold : « Vous dites qu'il faut que je pense que j'ai une âme immortelle. Non seulement j'y pense, mais j'y crois. Où serait, sinon, la différence entre l'homme et les bêtes ? C'est justement parce que je le sais et le crois que je n'ai pu accomplir tous vos souhaits... ainsi que vous le pensiez. »

La ruse marche à merveille. Léopold mord aussitôt à l'hameçon. Quelle frasque son fils lui prépare-t-il ? Il imagine le pire et, par retour de courrier, exige des explications. Lesquelles arrivent dans une lettre fleuve, une déferlante d'aveux, de projets, d'explications et de certitudes :

« Oh, comme j'aurais aimé vous ouvrir mon cœur depuis longtemps ; mais le reproche que vous auriez pu me faire de penser à ces choses à un moment inopportun m'a retenu, bien qu'il ne soit jamais inopportun d'y penser. Entre-temps, je m'efforce d'obtenir ici quelque chose de régulier. On peut alors, avec l'appoint de ce qui est régulier, fort bien vivre ici ; et puis je me marie ! »

Ça y est ! La chose est dite. Léopold doit sentir, sur ses lèvres, le souffle de Judas, et couler dans ses veines un poison implacable comme le cyanure. Vite, il faut le rassurer. Donner tout de suite une liste irréfutable d'arguments pour parer aux attaques, et peut-être, qui sait (Wolfgang reste incurablement optimiste), gagner son père à la cause du mariage.

« Vous êtes effrayé de cette pensée ? Je vous en prie, père chéri, excellent père, écoutez-moi ! J'ai été contraint de vous découvrir mes souhaits, permettez-moi également de vous découvrir mes raisons, raisons tout à fait fondées. La nature parle en moi aussi fort que chez tout autre, et peut-être plus fort que chez des rustres grands et forts. Il m'est impossible de vivre comme la plupart des jeunes gens actuels. D'abord, j'ai trop de religion, deuxièmement j'aime trop mon prochain et suis trop honnête pour duper une jeune fille innocente, et troisièmement j'ai trop de répugnance et de dégoût, de crainte et d'appréhension des maladies et trop d'attachement à ma santé pour m'amuser avec

218

des putains. C'est d'ailleurs pourquoi je peux jurer n'avoir jamais eu de relations de cette sorte avec aucune femme, je peux le jurer sur ma vie et sur ma mort. Je sais bien que cette raison (si forte soit-elle) ne saurait suffire. Mais étant par mon tempérament plus attiré par la vie calme et familiale que par le bruit, je n'ai jamais été habitué, depuis ma tendre jeunesse, à veiller à mes affaires en ce qui concerne mon linge et mes vêtements, etc. Et je ne peux penser à rien de plus utile pour moi qu'à une femme. Je vous l'assure, il y a bien des dépenses inutiles qui m'incombent parce que je ne prends garde à rien. Je suis tout à fait persuadé qu'avec une femme, et avec les revenus que j'ai moi seul, je m'en sortirais mieux que maintenant. Combien de dépenses inutiles ne disparaîtraient-elles pas ? On en a d'autres à la place, c'est vrai, mais on les connaît, on compte dessus, et, en un mot, on mène une vie ordonnée. À mes yeux, un célibataire ne vit qu'à moitié. Mes yeux sont ainsi, je n'y peux rien. J'ai suffisamment réfléchi et, tout pesé, je ne peux penser autrement. »

Léopold se frotte les yeux. Quels sont ces arguments spécieux pêchés dans des registres presque totalement étrangers à son fils ? Il y a bien longtemps que Léopold est rompu à cette autoconviction forcenée dont Wolfgang a toujours fait preuve. Mais de là à invoquer l'économie domestique, les bonheurs de la vie conjugale, du pot sur le feu, des chaussettes reprisées ! Wolfgang, arguer de pareilles raisons ? Quand Munich l'a vu tous les soirs en galante compagnie, fêtant le carnaval dans la rue entre deux éclats de rire et des farces de toutes sortes ! Quand Vienne le trouve dans les cafés à jouer au billard et à vider des verres de punch jusqu'aux aurores ! Quand ses poches sont plus percées qu'un tamis et laissent couler les kreuzers comme de l'eau !

Économie, vraiment ? Alors que Wolfgang lui a annoncé, trois semaines plus tôt, que tout son argent a été converti en chemises et gilets de brocart, en bas de soie et chaussures luxueuses parce qu'il ne veut pas avoir l'air d'un gueux... Cet inventaire a décidément un arrière-goût d'insolence joyeuse et de provocation qui font bouillir Léopold. Et puis à quoi ressemble-t-elle, cette nouvelle toquade ?

Là encore Wolfgang anticipe et se livre à un délicieux petit jeu de questions-réponses :

« Maintenant, qui est donc l'objet de mon amour ? Ne vous alarmez pas, là non plus, je vous en prie ; – quand même pas une Weber ? – Si, une Weber. Pas Josepha. Pas Sophie, mais Constance, celle du milieu.

« Je n'ai rencontré dans aucune autre famille une telle disparité de tempéraments. »

Le moment est venu pour Wolfgang d'utiliser l'un de ses plus grands classiques : celui de la compassion envers l'être aimé, qu'il dépeint comme une véritable et tendre Cendrillon...

« ... L'aînée est une personne paresseuse *[amoureux d'Aloysia, il la trouvait alors adorable et excellente cuisinière]*, grossière et fausse, plus rusée qu'un renard. La Lange *[Aloysia]* est fausse, méchante, et c'est une coquette. La plus jeune est encore trop jeune pour être quelque chose. Elle n'est qu'une gentille créature, mais trop légère ! Dieu la préserve de la séduction... »

Charmant portrait de famille ! Une harpie, une arriviste et une Lolita. En fait, comme dans les comédies, les personnages secondaires ne sont là que pour servir de faire-valoir au personnage principal :

« Celle du milieu, c'est-à-dire ma bonne et chère Constance, la martyre parmi les autres et justement pour cette raison celle qui a le meilleur cœur, la plus habile, en un mot, la meilleure. Elle s'occupe de tout à la maison, mais ne saurait les satisfaire. Oh, mon excellent père ! Je pourrais vous écrire des pages entières si je voulais vous décrire toutes les scènes qui nous ont été faites à tous deux dans cette maison. Si vous le désirez, je le ferai dans ma prochaine lettre. Mais avant de vous délivrer de mon bavardage, il faut que je vous familiarise un peu mieux avec le caractère de ma Constance bien-aimée. »

Est-ce bien le même qui, quelques mois auparavant, décrivait le domicile des Weber comme un havre de paix, sa future belle-mère comme un ange protecteur, les deux sœurs comme de prévenantes jeunes filles ?

Alors, pourquoi tous ces mensonges ? Sans aucun doute parce que Mozart cherche à tout prix à persuader son père du bien-fondé de son choix. Or, la dernière fois qu'il lui a parlé de l'âme sœur idéale, il s'agissait d'une ravissante personne « dotée d'une voix enchanteresse, et uniquement occupée à son avenir », ce qui n'avait pas pour autant convaincu Léopold qui s'était opposé à cette idylle, émettant de sérieux doutes sur le désintéressement d'Aloysia. Hélas, l'avenir lui avait donné raison.

Comment Wolfgang pourrait-il ne pas s'en souvenir en écrivant ces lettres ? Dès lors il présente Constance comme le contraire absolu de sa sœur. Jusque dans son physique, qu'il n'hésite pas à dénigrer : Léopold doit être sûr que cette nouvelle attirance est toute fondée sur la raison. Qu'il aime Constance pour son cœur, et non pour ses appas. Que cette fois-ci, il ne s'est pas laissé prendre à des leurres ravissants mais trompeurs :

« Elle n'est pas laide, mais elle n'est toutefois rien moins que belle. Toute sa beauté réside en deux petits yeux noirs et une belle taille. Elle n'a pas de vivacité d'esprit, mais suffisamment de sain entendement pour remplir ses devoirs d'épouse et de mère. Elle n'est pas portée sur la dépense, c'est absolument faux. Au contraire, elle est habituée à être mal vêtue. Car le peu que sa mère ait fait pour ses enfants, elle l'a fait pour les deux autres, jamais pour elle. C'est vrai qu'elle aimerait être habillée gentiment et proprement, mais sans luxe. Elle est en mesure de se faire la plupart des choses dont une femme a besoin ; et elle se coiffe elle-même tous les jours. Elle sait tenir un ménage et a le meilleur cœur du monde. Je l'aime et elle m'aime de tout cœur ! Dites-moi si je peux souhaiter une meilleure femme ? »

Était-elle si grise, si résignée, si laide, Constance ? Le portrait que son beau-frère Lange peignit d'elle l'année suivante n'atteste en rien cette version : ses yeux sont démesurément grands et son expression piquante, directe et pleine d'aplomb : elle y a le regard d'une femme qui n'a pas froid aux yeux, des lèvres pulpeuses et gourmandes, la vibration et l'assurance d'une belle brune née au pays des blondes. Incontestablement, elle devait plaire aux hommes.

Hildesheimer, l'un des biographes de Mozart, qui ne la portait pas dans son cœur, lui prête d'ailleurs de nombreux soupirants avant le mariage comme il lui supposera de nombreux amants après, et ce faisant il la flanque d'une solide réputation de légèreté et de coquetterie. Autant d'observations – médisantes ou pas – qui semblent incompatibles avec la terne personnalité et le physique ingrat décrits par Wolfgang.

En fait, si Constance n'offrait pas la perfection classique des traits d'Aloysia, son teint de porcelaine, sa petite bouche rouge et menue, son visage fin, elle possédait plus que cela : un éclat certain et tout le charme de la sensualité... Et c'est, assurément, ce dernier trait qui l'a rapprochée de Wolfgang.

Fut-il épris d'elle au premier regard, comme il le fut pour les quelques jeunes filles qu'il connut ?

« Je dois encore vous dire que jadis, lorsque j'ai quitté mon service, je n'étais pas encore amoureux », tient-il à préciser dans sa lettre, sans doute pour glisser sur les démentis retentissants qu'il avait adressés à son père quand l'écho de son idylle avait atteint Salzbourg.

« D'être amoureux, il n'est pas question... S'il y a un moment de ma vie où je n'ai pas songé au mariage, c'est bien celui-ci ! L'amour est né à ses tendres soins et à ses services (lorsque j'habitais chez elles). Je ne souhaite donc rien tant que d'obtenir quelque chose d'assuré (ce dont j'ai, Dieu merci, véritablement espoir), et alors je ne cesserai de vous prier de me permettre de sauver cette malheureuse et de faire son bonheur, et le mien en même temps – et je dois dire également le nôtre à tous – car vous êtes heureux lorsque je le suis, n'est-ce pas ? »

Quel philistin, quand il s'agit de convaincre son père ! Ce qu'il ne dit pas dans sa lettre, c'est que, quelle que soit la décision de Léopold, il s'est déjà engagé. Comme pour Lange, comme pour Nissen plus tard (qui deviendra le second mari de Constance, quelques années après la mort de Mozart), Caecilia a tendu ses rêts pour y piéger un gendre de plus...

Dès l'installation de Mozart à l'Œil de Dieu, Mme Weber s'était immédiatement employée à tisser autour de lui un cocon de douceur et de cajoleries. Tout n'était alors que jeux, badinages, attentions. Puis, lorsque des trois prétendantes qui « musiquaient » continuellement à ses oreilles, Wolfgang avait choisi Constance, Caecilia était passée à la phase deux : forcer le jeune homme à s'engager. On l'avait invité de plus en plus fréquemment, on s'était exhibé en public, on avait multiplié les sorties, déambulant en famille sur le Prater, Constance au bras de Wolfgang, pour encourager des commérages dûment propagés par Caecilia et mieux feindre ensuite d'en prendre ombrage.

Comment, ce jeune homme en qui l'on avait toute confiance voulait compromettre la vertu d'une honnête jeune fille ? Son honneur ? Très logiquement, Mme Weber avait alors poussé Wolfgang, comme Léopold le faisait de son côté, à prendre une chambre ailleurs. Mais elle s'était bien gardée de lui interdire les visites de plus en plus assidues qu'il rendait à sa fille !

Pourtant Wolfgang, qui fréquentait l'Œil de Dieu depuis le 1er mai, ne s'était toujours pas déclaré en décembre. Allait-il, comme avec la cousinette, s'installer dans une intimité amoureuse qui n'offrirait rien d'autre que son affection ? Caecilia ne l'entendait pas de cette oreille et son expérience d'entremetteuse, si fructueuse avec Aloysia, lui dictait de prendre rapidement la direction des affaires sentimentales de Constance. Mozart était un excellent compositeur. Il se trouvait reçu dans les meilleures maisons. Qui sait si un ravissant oiseau de paradis, échappé d'une antichambre de palais, n'allait pas surgir dans sa vie pour lui ravir l'âme, comme l'avait fait Aloysia deux années auparavant ?

Elle était alors passée à l'offensive.

« Mon cher père, pour le contrat de mariage, je veux aussi vous faire la confession la plus sincère, bien persuadé que vous me pardonnerez sûrement cette démarche, car si vous vous étiez trouvé dans mon cas, vous auriez sûrement agi de même. Je vous demande seulement pardon sur ce point, que je ne vous ai pas tout écrit depuis longtemps. *(...)*

« Venons-en maintenant au contrat de mariage, ou plutôt à l'assurance écrite de mes justes visées sur la jeune fille. Vous savez bien que, comme le père est décédé, il y a un tuteur. À celui-ci, qui ne me connaît pas, il semble que des messieurs empressés, impudents et consorts aient rebattu les oreilles avec toutes sortes de racontars à mon sujet – qu'il fallait se méfier de moi – que je n'avais pas de situation – que j'avais une forte liaison avec elle – que je la laisserais peut-être tomber – et que la jeune fille serait ensuite malheureuse, etc. Cela monta au nez de monsieur le tuteur, mais la mère, qui me connaît, moi et ma loyauté, laissait aller les choses et ne lui en disait rien. En effet, mes seules relations consistaient à habiter, et donc à rentrer chaque jour dans cette maison. Personne ne me voyait jamais avec elle, sauf à la maison. Il corna donc longtemps ses pensées aux oreilles de la mère, jusqu'à ce qu'elle m'en parle. Elle me pria d'en discuter avec lui, il devait venir dans les jours suivants. Il vint. Je lui parlai. Le résultat fut (parce que je ne m'expliquai pas aussi clairement qu'il l'aurait souhaité) qu'il intima à la mère l'ordre de m'interdire toutes relations avec sa fille avant de m'être mis d'accord avec lui par écrit.

« La mère dit : ses seuls rapports tiennent à ce qu'il vient chez moi – je ne peux lui interdire ma porte – c'est un trop bon ami, et un ami envers qui j'ai de nombreuses obligations. Je suis satisfaite, et lui fais confiance – arrangez-vous avec lui. Il m'interdit donc tout rapport avec elle si je ne m'engageais pas par écrit.

Que me restait-il donc à faire ? Donner une légitima-
tion écrite ou abandonner la jeune fille ?

« Celui qui aime sincèrement et de façon solide
peut-il quitter sa bien-aimée ? La mère, la bien-aimée
elle-même ne pourraient-elles pas en tirer une conclusion infâme ? Voilà la situation dans laquelle j'étais. Je
rédigeai donc un écrit disant que je m'engageais à
épouser mademoiselle Constance Weber dans un délai
de trois ans ; que si je me trouvais dans l'impossibilité
de le faire et que je change d'avis, elle devrait recevoir
de moi, chaque année, trois cents florins.

« Rien au monde ne m'était plus facile à écrire,
sachant que je n'en arriverais jamais à devoir payer ces
trois cents florins, puisque je ne la quitterai jamais. Et
si je devais par malheur changer d'avis, je devrais
m'estimer heureux de m'en libérer pour trois cents florins. D'ailleurs, Constance, comme je la connais, serait
trop fière pour se laisser vendre. Mais que fit cette
céleste créature lorsque le tuteur fut parti ? Elle
demanda à sa mère l'engagement et me dit : "Cher
Mozart ! Je n'ai pas besoin de votre assurance écrite,
je vous crois sur parole." Et elle déchira le papier.

« Ce trait m'a rendu ma chère Constance encore plus
précieuse. Donc, par cet encaissement de l'engagement
écrit et par la promesse du tuteur, sur parole d'honneur, de garder la chose pour lui, j'étais, mon excellent
père, en partie rassuré à votre sujet. Car pour ce qui
est de votre accord, en son temps, sur ce mariage
(comme c'est une jeune fille à laquelle il ne manque

que l'argent), je n'avais pas peur : je connais votre sage manière de penser dans ce cas.

« Me pardonnerez-vous ? Je l'espère ! Je n'en doute nullement. »

Mozart, si attentif, si délicat ! Et comme la partie était bien arrangée entre Caecilia et Thorwart, « réviseur de la direction des théâtres de la cour », le tuteur. Les caricatures d'interrogatoires de nos modernes inspecteurs de police sont encore bien fades à côté de ce tableau : l'une joue la magnanimité, l'autre la sévérité. On passe le suspect des mains de Caecilia à celles de Thorwart. On l'ébranle, on le démobilise. Il est mûr pour signer des aveux en bonne et due forme. Et, geste suprême d'élégance, Constance déchire la feuille, liant Mozart à sa promesse bien plus fortement qu'avec une simple signature. Comment douter des vertus de sa céleste promise, après tant de générosité ?

Il est intéressant de constater au passage que les « rentes » extorquées par Caecilia Weber à ses gendres sont calculées au prorata de la valeur estimée... de ses filles. Lange, pour convoler avec Aloysia, versera toute sa vie sept cents florins annuels. À Wolfgang, on n'en demande que trois cents...

Évidemment, l'aveu de son fils plonge Léopold dans une rage indescriptible. D'ailleurs, ce contrat, dont il perçoit, malgré sa candeur et son grand cœur, toute la honte, Wolfgang n'avait pas du tout l'intention d'en parler à son père.

Il a fallu que des amis bien intentionnés révèlent toute l'affaire à Léopold pour qu'il se résigne à avouer... fulminant contre Winter et Reiner, ces propagateurs de calomnies ! « Comment peut-il y avoir de tels monstres d'hommes ? » écrit-il à leur sujet à Nannerl, avant de leur régler leur compte dans une épître vengeresse où l'on devine que Constance n'a pas été présentée comme la céleste jeune fille que Wolfgang se plaît à peindre.

« Je suis encore plein de colère et de rage à cause des mensonges ignominieux de ce chenapan de Winter. Je ne veux pas répondre à des vérités infâmes (en réponse à des mensonges infâmes) à son sujet, car il ne mérite que le mépris total de tout homme d'honneur. Parmi toutes les vilenies répandues par Winter, rien ne m'irrite plus que le fait qu'il qualifie ma chère Constance de friponne. Je vous l'ai décrite telle qu'elle est, pas un cheveu meilleur, ni pire. Au sujet de Winter, il faut encore que je vous dise une chose. Il m'a notamment dit un jour, entre autres : vous n'êtes pas malin de vous marier. Vous gagnez assez d'argent, vous le pourriez bien. Prenez donc une maîtresse. Qu'est-ce qui vous en empêche ? Une petite M... de religion ? »

Et si ces messieurs n'avaient rien compris... Et si Maria-Caecilia Weber s'était donné bien du mal pour pas grand-chose ? Et si Léopold, Nannerl et quelques autres à venir avaient négligé un point, un seul, mais d'importance quand on connaît leurs véritables natures ? Constance et Wolfgang étaient, dans l'intimité de l'alcôve, parfaitement heureux !

Et de ce bonheur-là, ils allaient cimenter leur couple. Une relation véritable, taillée à leurs justes mesures.

Certes Constance n'était ni un génie, ni même une bonne musicienne. Sa voix ne pouvait en aucun cas évoquer celle d'Aloysia, et son peu de connaissances musicales lui interdisait toute complicité professionnelle avec Wolfgang.

Mais si elle n'entendait pas grand-chose à cela, si comme beaucoup de ses contemporains elle était alors incapable de mesurer la dimension géniale de son époux, du moins lui apportait-elle, dans leur relation érotique, une fraîcheur enfantine, une ingénuité libertine indispensable au fragile équilibre de Mozart dont elle était le sourire.

« ... C'est jeudi 28 que je pars pour Dresde où je passerai la nuit. Le 1er juin, je coucherai à Prague et le 4 – le 4 ? Près de ma petite femme chérie. Prépare bien proprement ton joli nid chéri, car mon petit bonhomme l'a vraiment bien mérité, il s'est tenu comme il faut et ne désire rien tant que posséder ton beau cul *[le mot a été raturé plus tard, sans doute par Constance ou par Nissen]*. Imagine ce petit fripon qui, pendant que j'écris, grimpe sournoisement vers la table, et se montre, l'air de me poser des questions. Mais moi, pas paresseux, je lui donne une bonne pichenette *(...)*. Voilà ce galopin encore plus brûlant et presque indomptable. »

Et encore :

« ... Comment peux-tu donc croire, même simplement supposer que je t'ai oubliée ? Comment cela me serait-il possible ? Pour cette supposition, tu mérites dès la première nuit une bonne fessée sur ton adorable petit cul chéri, et tu peux y compter. »

Jusque dans ses voyages en solitaire, Wolfgang poursuit le même dialogue avec elle :

« Si je voulais te raconter tout ce que j'imagine faire avec ton cher portrait, tu rirais bien souvent. Par exemple, quand je le tire de sa prison, je dis : Dieu te bénisse, Stanzerl *[petit nom de Constance]*, Dieu te bénisse, friponne, petite boule, nez pointu, bagatelle, Schluck und Druck. Et quand je le remballe, je le fais glisser peu à peu en répétant sans cesse, Stu ! Stu ! Stu ! Stu ! mais avec certaine intonation qu'exige ce mot qui en dit si long ; et au dernier, vite, bonne nuit ; dors bien, petite souris... »

Quelle délicieuse tendresse, et sous cette tendresse quelle harmonieuse rencontre ! Bohèmes tous les deux, ils aiment le train de vie fantasque et désordonné qu'ils vont mener à Vienne. Leur maison, toujours ouverte, toujours remplie d'amis, de musiciens, d'élèves, de servantes et d'enfants...

« J'ai vécu là le plus heureux instant que la musique m'ait jamais donné. Ce petit homme et grand maître improvisa sur un Pedal-Clavecin à merveille ! à merveille ! Au point que je ne savais plus où j'étais. Sa femme taillait des plumes pour le copiste, un élève composait, un petit garçon de quatre ans se promenait dans le jardin et chantait des récitatifs... »

Le bonheur ! Ils ont vingt-deux ans de moyenne d'âge au début de leur mariage et vivent résolument un quotidien joyeux... Loin des clichés du génie grave et de l'égérie protectrice, ni mère ni garde du corps !

Une attitude incompréhensible aux yeux jaloux de Nannerl et à ceux, possessifs, de Léopold ; sans parler du comportement férocement misogyne de la majeure partie des biographes du XIXe siècle, lesquels vont s'acharner à décrire Constance comme une abominable commère, dépensière, écervelée, capable seulement de mettre des enfants au monde mais incapable de les garder en vie. À les entendre elle harasse Wolfgang, l'empêche de composer et, finalement, l'abandonne lâchement à la solitude et à la mort.

« Elle faisait preuve d'un égoïsme inconscient, presque féroce dans son involontaire cruauté, écrit Marcel Brion, elle était incapable du moindre sacrifice. »

« Elle n'offrait même pas une laideur réussie », ajoute Adolphe Bochot.

« Wolfgang aurait toujours eu besoin d'un père ou d'une mère ou d'un mentor, déclarera, en 1793, Nannerl, alors baronne zu Sonnenburg. Il était incapable de compter avec l'argent. Il épousa, contre la volonté de son père, une jeune fille qui ne lui convenait pas.

Ce fut la cause d'un grand désordre domestique au moment de sa mort et après. »

Jusqu'à Alfred Einstein, grand admirateur de Mozart, qui ajoutera sa pierre à l'édifice : « Elle n'était même pas bonne ménagère ; elle n'était jamais prévoyante, et, au lieu de faciliter la vie et le travail de son époux en lui assurant un certain confort matériel, elle partageait inconsidérément son existence bohème. Elle était tout à fait inculte et n'avait aucun sens des convenances. »

Quels impitoyables réquisitoires ! Tout aussi impitoyables que la vindicte de Léopold qui va tenter une dernière fois, alors que Wolfgang attend désespérément sa bénédiction pour convoler en justes noces, de préserver son fils de ce qu'il appelle « une folie ».

Ce mariage, Léopold ne le veut pas. La rumeur qui court à propos de Constance et qui en fait une fille aux mœurs légères, à la virginité douteuse, une friponne jetée dans les bras de son fils, l'effraye et le presse de contrecarrer les projets de Wolfgang. Mais si, à la rigueur, cela peut se comprendre, comment expliquer l'immuable comportement de Léopold après le mariage ? Au temps où le bonheur du jeune couple ne fait aucun doute, comment lui pardonner cet aveuglement borné de petit-bourgeois pointilleux qui va mener son fils, après d'innombrables et patientes tentatives de conciliation, à devoir choisir son camp ?

Un choix déchirant mais franc. Entre les siens et Constance, ce sera Constance envers et contre tous !

11

LES INFIDÉLITÉS DE MOZART

« L'amour est un petit voleur, l'amour est un petit serpent,
aux cœurs il ôte et donne la paix, comme il lui plaît. »
Cosi fan tutte (air de Dorabella)

Je vous demande encore une fois pardon, et vous prie d'avoir
indulgence et compassion à mon égard. Sans ma très chère
Constance, je ne puis être heureux et satisfait, et sans votre
satisfaction à vous je ne le serais qu'à moitié. Rendez-moi donc
tout à faire heureux, mon très cher, excellent père !

Il y a maintenant plus d'un mois que Léopold garde
le silence. Wolfgang, persuadé qu'il lui faut épouser
Constance, est accablé par le mutisme de son père.
Tout pétri de pardon et de mansuétude, il ne peut
comprendre cette rancune. Il redoute la violence de
l'orage qu'augure ce calme étrange, ce silence lourd de
reproches. Il ne se trompe pas.

Dans sa réponse, Léopold fulmine, vocifère, injurie,
va même jusqu'à souhaiter la perte de Caecilia Weber

et la damnation du tuteur. Il veut les voir arrêtés, poursuivis par la police et condamnés à balayer les rues avec, au cou, une pancarte : « séducteurs de jeunesse ».

Ce nouveau combat, pour un mariage qui ne cesse maintenant de traîner en longueur et qui déclenche plaintes et jérémiades de sa belle-mère, ne saurait plus mal tomber. La date de la création de *L'Enlèvement au sérail* approche. Wolfgang s'est remis au travail avec une ardeur fiévreuse, probablement préoccupé à l'idée d'une future famille à faire vivre.

Ses trois élèves lui rapportent quelque huit cents florins par an, ce qui double largement le salaire versé par Colloredo. Mais sa situation, il le sait, reste des plus précaires. Il cherche donc ailleurs d'autres ressources.

Pendant ce temps, chez les Weber, on s'impatiente. La promesse de mariage signée, Caecilia montre une sèche nervosité devant les atermoiements de Wolfgang. Quand ce jeune musicien lui enlèvera-t-il sa fille ? Avec sa pragmatique rouerie, elle sait que rien n'est vraiment gagné, tant que le prêtre n'a pas scellé leur union. Aussi nourrit-elle Wolfgang de soupes à la grimace et Constance de ses mauvaises humeurs. Cette cervelle d'oiseau incapable de « racoler » un mari plus argenté !

Culpabilisés, pressés, les fiancés tentent à leur tour de forcer l'affection de Léopold. Il faut l'émouvoir, l'attendrir. Il faut qu'il consente à donner sa bénédiction. Avec une naïveté touchante, Wolfgang comble son père et Nannerl de petits cadeaux, confectionnés bien sûr par les blanches mains de la céleste « fiancée ».

« À ma chère sœur, supplie-t-il, j'envoie deux bonnets à la plus récente mode viennoise. Ils sont, tous deux, l'œuvre de ma chère Constance ! Elle vous présente bien respectueusement ses compliments et vous baise les mains, et elle embrasse ma sœur le plus affectueusement du monde, en s'excusant auprès d'elle si les bonnets ne sont pas réussis dans la dernière perfection. »

Autant de signes de tendresse, d'efforts, de petits messages glissés dans des tabatières – et entre deux cordons de montre ! – qui restent lettre morte. Wolfgang décide alors de pousser Constance un peu plus avant. Puisqu'elle existe, pourquoi ne se présenterait-elle pas, elle-même, à sa nouvelle famille ?

« Très honorée et très estimable amie !

« Jamais je n'aurais été assez hardie pour m'abandonner en toute franchise au désir qui me poussait à vous écrire, très honorée amie, si M. votre frère ne m'avait assurée que vous ne prendriez pas en mauvaise part cette démarche due au trop grand désir que j'éprouve de m'entretenir, au moins par écrit, avec une personne, inconnue sans doute, mais que le nom de Mozart me rend très estimable à mes yeux. Pourquoi vous fâcheriez-vous si je me permets de vous dire que, sans avoir l'honneur de vous connaître personnellement, en votre seule qualité de sœur d'un frère... aussi digne de vous, je vous estime plus que tout et vous aime, et si j'ose vous prier de m'accorder votre amitié ? »

Elle peut toujours oser. Elle n'obtiendra rien, en retour, qu'une moue pincée, quelques platitudes polies et froides d'une sœur prenant résolument le parti de son père contre Wolfgang, lui qui vient pourtant de la soutenir chaleureusement dans sa bataille pour épouser d'Ippold... On se souvient combien cette rupture forcée et mal vécue avec son fiancé la rendit alors malade. Eh bien là où tout devrait la pousser vers Wolfgang pour faire front avec lui, elle choisit de s'en éloigner... Elle pince les lèvres. Son nez s'allonge. Entre la rancune et la générosité, c'est la rancune qui l'emporte. Comme si contrer Wolfgang pouvait la venger de son échec sentimental. Commence-t-elle à entrevoir, avec l'envol conjugal de son frère, qu'elle a trente ans et qu'elle vient peut-être de laisser échapper la dernière chance de faire sa vie ?

Le courage que montre son frère, sa résistance farouche au veto de Léopold la renvoient, comme toujours, à sa propre médiocrité. Musicalement, Nannerl n'a jamais pu rivaliser avec Wolfgang – un point qu'elle consent à accepter. Mais la musique n'était pas le seul domaine où il occupait toute la place : du matin au soir et du soir au matin, Léopold ne vivait et ne vit que pour l'avenir de son fils, de ses succès, de ses compositions.

D'ailleurs elle l'a bien vu, radieux, le visage illuminé de bonheur, le soir de la première d'*Idomeneo*, à Munich, quand spontanément le public s'est dressé pour applaudir et crier sa joie.

Pour ce fils, Léopold a sacrifié jusqu'à la pauvre Anna-Maria qui manque toujours cruellement à la jeune fille. Jusqu'à elle-même, à qui l'on retire, chaque mois, les quelques fruits des leçons qu'elle donne et qu'elle aurait si volontiers dépensés en rubans, en étoffes, en plumes et en soieries. Quelques florins difficilement acquis qui ont servi à Wolfgang – Wolfgang toujours – pour payer ses frasques, ses voyages et ses gilets !

Et que fait-il maintenant, au lieu de se battre pour obtenir cette situation qui assurerait les vieux jours de son père et de sa sœur ? Il annonce qu'il va épouser une va-nu-pieds aussi dépourvue de fortune que de moralité ! Nannerl se sera donc battue, privée, échinée pour en arriver là ? Elle passe Constance au crible. Cette fille qui projette autour d'elle toute l'insolence de sa jeunesse et dont les regards matinaux en disent long sur les plaisirs qu'elle goûte, chaque nuit, dans les bras de son amant. Autant de bonheurs inconnus et interdits à Nannerl...

À ses yeux, Constance constitue un insupportable affront, une écervelée qu'elle évitera soigneusement plus tard, beaucoup plus tard, lorsque, vieillies toutes deux et habitant à quelques dizaines de mètres l'une de l'autre, le hasard les fera se croiser...

Pour l'heure le siège se poursuit, en vain. Mozart s'arme de patience, mais décide de se marier juste après la création de son nouvel opéra.

L'œuvre est donnée le 16 juillet 1782, au Burgtheater.

« Tous les efforts que nous faisions pour parvenir à exprimer le fond même des choses devinrent vains au lendemain de l'apparition de Mozart », commente, enthousiaste et depuis Berlin, un Goethe éperdu d'admiration. « *L'Enlèvement au sérail* nous dominait tous. »

L'opéra, sur fond de glorification de la tolérance et de dénonciation de l'arbitraire, jette déjà les thèmes fondamentaux de la pensée mozartienne, repris et développés dans tous les ouvrages lyriques qu'il écrira par la suite : la fraternité humaine, la fidélité, l'unité du couple, et le rôle privilégié accordé à la femme.

Une partition et des idées fortement avant-gardistes ! Et la légende veut que l'empereur, un peu abasourdi au sortir de la première, se soit exclamé : « Trop de notes, mon cher Mozart, trop de notes ! » Ce à quoi l'irrévérencieux Wolfgang aurait rétorqué : « Sire, pas une note de trop ! »

Le public viennois, lui, plébiscite *L'Enlèvement*. Tous les soirs, on se presse au Burgtheater. Mozart jubile... et attend les félicitations de son père. Comment, désormais, pourrait-il leur refuser sa bénédiction ?

« J'ai reçu votre lettre du 26 juillet. Mais une lettre si indifférente, si froide ! Vraiment, je n'en aurais jamais attendu une pareille après la nouvelle de mon opéra ! »

Que faire ? Comment obtenir cet assentiment indispensable et... urgent ?

Caecilia Weber ne vit plus. Alors que Vienne et les Viennois n'ont avec *L'Enlèvement au sérail* que le nom de Mozart à la bouche, voilà que Constance choisit de se conduire comme une folle ! Wolfgang lui-même en est choqué, et de là à l'imaginer saisissant ce prétexte pour rompre un contrat de toute façon déchiré...

L'histoire est simple : au cours d'une soirée un peu légère, Constance a perdu aux cartes ; et pour payer son gage à un inconnu elle lui a permis, avec beaucoup de bonne humeur, de glisser un ruban en haut de son mollet pour en mesurer la rondeur.

Quelques jours plus tard, comme elle est en train de conter l'incident à ses sœurs que cette aventure amuse fort, Wolfgang entre et se glace. Comment a-t-elle pu se comporter aussi légèrement, alors que tout Vienne sait qu'elle sera bientôt sa femme ? Il la sermonne et lui rappelle ses devoirs de jeune fiancée : devoirs d'honneur et de respect du nom qui va être le sien.

Hélas, Constance n'est pas femme à accepter les remontrances : elle lui claque la porte au nez.

Bien sûr il pardonne et prend la plume pour se faire entendre. Pour lui faire comprendre « que pas une femme qui tient à son honneur ne fait une chose pareille » : « Voilà qui est fini », s'exclame-t-il, et pour un peu on l'entendrait presque pousser un gros soupir. « Un petit aveu que votre conduite de ce jour-là a été un peu irréfléchie aurait tout arrangé. Je ne pars pas en ébullition comme vous. Je pense. Je réfléchis et je sens. Sentez vous-même, ayez de la sensibilité et je suis assuré de pouvoir dire aujourd'hui encore, tranquillement : Constance est la vertueuse, jalouse de son honneur, raisonnable et fidèle bien-aimée de son loyal et dévoué Mozart. »

Mais que se passe-t-il entre eux ou entre Caecilia et sa fille pour que celle-ci s'enfuie de chez elle ? Est-ce la jalousie de Wolfgang, les aigreurs de sa mère qui poussent Constance, en juillet 1782, à chercher refuge chez la baronne von Waldstädten, sa protectrice de toujours, dont la licence de vie et la légèreté de mœurs ne sont un secret pour personne ? Elle était là, d'ailleurs, lors de cette fameuse partie de cartes, et elle s'était prêtée elle aussi au jeu avec beaucoup de complaisance.

De toute évidence, cette fugue précipite les événements. Dès qu'elle en est avertie, Caecilia entre dans une colère noire, exige le retour immédiat de sa fille, menace d'appeler la police et de faire jeter Wolfgang en prison pour détournement de mineure.

Un Wolfgang aux abois qui ne voit plus qu'une solution pour concilier tous les intérêts, s'éviter le déshonneur, sauver la réputation de Constance et calmer Caecilia Weber : le mariage dont il fixe la date au dimanche suivant, le 4 août.

« Pour cela je voudrais encore volontiers attendre, mais je vois que c'est inévitable et indispensable pour mon honneur et celui de mon aimée. Mon cœur est sans repos, la tête me tourne. Comment dans cet état penser et travailler avec ma raison ? »

Une ultime fois il implore son père en pure perte : Léopold ne répond pas. La voiture de poste qui revient de Salzbourg est vide. Tant pis. Avec ou sans sa bénédiction, Mozart convolera. Il n'a plus le choix.

« Tout ce que vous m'avez écrit, tout ce que vous pourriez m'écrire au sujet de mon mariage ne serait seulement qu'un "simple bienveillant conseil" ! Il n'est plus à propos pour un homme qui s'est avancé déjà si loin avec une jeune fille. Il n'y a donc plus rien à différer. Mieux vaut mettre ses affaires en règle et agir en honnête garçon ! C'est ce que Dieu récompensera toujours. Je ne veux rien avoir à me reprocher. »

La lettre est signée du 31 juillet. Le vendredi 2 août, les fiancés se confessent à l'abbaye des Théatins. Le 3, ils signent le contrat de mariage : communauté universelle des biens.

Et le 4 août 1782, enfin, Constance Weber devient devant Dieu Mme Wolfgang Mozart.

La bénédiction paternelle arrivera le lendemain matin. Trop tard pour tous. La réconciliation n'aura plus jamais lieu.

*
**

La formule consacrée veut que l'on soit marié pour le meilleur et pour le pire. Et jamais couple célèbre n'illustra mieux cette maxime.

Wolfgang et Constance resteront ensemble neuf ans et demi. Menant à Vienne, les sept premières années de leur union, un train de vie agité, déménageant sans cesse, au gré de leurs diverses fortunes ou infortunes, faisant montre l'un et l'autre d'une très grande générosité, recevant, logeant artistes et amis, prêtant même quelque argent quand Mozart avait d'abord à rembourser ses propres créanciers.

Neuf ans et demi de mariage pendant lesquels Constance mettra au monde six enfants, dont deux seulement survivront : le deuxième, Karl-Thomas, et le dernier, Franz-Xaver, âgé de quatre mois à la mort de son père, le 5 décembre 1791. (Karl-Thomas, fonctionnaire d'État à Milan, mourra en 1858, et Franz Xaver, piètre musicien qui signait ses œuvres Wolfgang Amadeus à la fin de sa vie, en 1844. Aucun des deux ne laissera de descendance.)

Et l'on est en droit de s'interroger sur le silence observé à propos de ces grossesses répétées, lorsque l'Histoire a analysé à la loupe le « cas » Constance.

Certes elle est coquette, frivole et, au moins les deux dernières années de sa vie, notoirement infidèle, mais n'a-t-elle pas porté sur ses épaules sa part du poids écrasant des charges, des déconvenues, des dettes, de la fatigue et de la misère qui finiront par étouffer son couple ? Un couple qui va tenir à travers tempêtes et cahots, bravant la misère et la jalousie, chacun découvrant, pour ne pas faillir, quelques exutoires et autant de recettes. Pour Constance, après sept années passées aux côtés d'un homme qui ne dormait pas, inépuisable au lit comme au travail, et qui lui a imposé (mais elle appréciait cette bohème) un rythme de vie effréné, l'exutoire fut les cures à Baden, loin de Vienne et de ses contraintes. Baden où, dès qu'il le pouvait, Mozart la rejoignait.

Mais que de maladies, de grossesses, de difficultés financières de plus en plus aiguës, que de morts aussi ! Celles des amis, des enfants, celle de Léopold qui assombrissent le bonheur insouciant des jeunes Mozart, et qui entament principalement, à partir de 1786, l'optimisme et la patience de Constance...

Apparemment, l'amour et la tendresse de Wolfgang n'ont cessé de croître, de s'intensifier jusqu'à cette vibration presque pathétique de la dernière année de sa vie, où il est seul à Vienne, malade, harcelé par les créanciers, tandis que Constance fuit dans d'autres bras la médiocre réalité d'une vie à laquelle elle ne trouve plus d'issues.

Qu'elles sont loin, les premières années de leur vie de couple ! Ces années si heureuses... Même Marcel Brion, biographe de Mozart et détracteur acharné de Constance, s'incline devant l'évidence des témoignages... Le jeune couple aime sortir le soir avec des amis, jouer au billard ou aux quilles, boire du punch (Mozart en raffole) ou du champagne. En un mot, faire la fête.

Avec sa femme, Wolfgang est rieur, caressant, de plus en plus sensuellement épris. Chaque jour qui passe consolide cette affection particulière, cette immense tendresse qu'il lui porte et dont, à l'époque, personne ne songe à contester l'authenticité.

Contrairement aux dithyrambes écrits à Léopold sur les vertus ménagères de Constance, la jeune femme est parfaitement incapable de tenir sa maison. Mais Wolfgang ne cherche pas à la réformer pour autant. Bien sûr, comme il le confie dans une lettre pleine de souriante ironie à leur amie la comtesse von Thun, il adore les asperges, les langues en sauce, et les truites fumées des Alpes... Autant de plats que Constance ne sait pas préparer. Mais ces carences ménagères ne le préoccupent pas. Il est tout aussi désordonné et inapte à gérer son portefeuille.

D'ailleurs, aurait-il été heureux avec un dragon domestique qui l'aurait harcelé, comme l'avait fait Léopold pendant vingt ans, avec des questions d'argent ? Non. Mozart aimait trop l'espièglerie et l'insouciance. Et le désordre était sans doute nécessaire à son processus de création qui lui permettait indifféremment d'écrire dans les tavernes, au beau milieu d'une partie de billard, le jour ou la nuit (mais la nuit de préférence), sur un coin de table ou dans la tranquillité de son bureau.

Donc, très vite après son mariage, Wolfgang décide de déménager et d'engager une servante. Ses moyens le lui permettent. Reçu dans toutes les grandes maisons aristocratiques, il a une activité musicale intense. Il fait la connaissance de Haydn, « son maître et son père » auquel il dédicace quatre sonates, rencontre Gluck et découvre Da Ponte qui mettra plus tard toute son habileté de librettiste à son service. Et pendant que *L'Enlèvement au sérail* reste à l'affiche, il écrit la *Petite Musique de nuit*, la *Symphonie en ré majeur* (Haffner K. 385), la grande série de ses concertos pour piano, la *Messe en ut mineur*, des quatuors à cordes. Il donne des concerts, des académies, fait graver des sonates sur souscription.

Bref, l'argent rentre à flots. Et pour les Mozart, l'avenir s'annonce radieux. Après le petit meublé de leur nuit de noces, les voici installés dans un somptueux appartement, au 846 de la Schulerstrasse, où les servent deux domestiques. Un confort qui laisse Léopold pantois et Nannerl – enfin mariée à trente-deux ans – probablement jalouse à la lecture des « rapports » que lui expédie régulièrement son père venu passer deux mois à Vienne.

C'est en cette même année 1784 que Léopold et Wolfgang vont adhérer à la franc-maçonnerie, une orientation commune vers un même idéal de lumière et de fraternité qui ne rapproche pas pour autant les deux hommes. Depuis l'accueil glacé que son père et sa sœur ont réservé à Constance, lors du voyage de 1783 à Salzbourg, leur relation ne s'est plus jamais réchauffée. Curieusement, le succès de Wolfgang, dont Léopold devrait être le très heureux témoin, semble pétrifier ses positions de méfiance et d'hostilité. En fait, jamais il ne parviendra à pardonner à son fils de lui avoir préféré Constance, et toutes les occasions de « vengeance » seront bonnes. C'est ainsi qu'à l'automne 1786, lorsque Mozart, à qui l'on fait des offres de travail à Londres, demandera à Léopold d'héberger ses deux enfants pendant son absence, celui-ci qui connaît pourtant l'importance de l'enjeu refusera tout net, écrivant à Nannerl dont il garde le fils : « Ils voulaient me payer une pension pour leurs enfants, mais ils auraient disparu dans la nature et j'aurais eu deux bouches à nourrir et à élever. »

La fatigue, l'hostilité de sa belle-famille et, dans les dernières années, la précarité financière de leur ménage (c'est ce qu'elle fuira le plus) sont autant d'éléments pour comprendre Constance et considérer d'un œil tolérant (exactement comme le fit Wolfgang) les liaisons et amourettes qu'elle aura pendant les fameuses « cures » à Baden.

Des leçons d'infidélité prises à bonne école, pendant les premières années dorées de leur mariage. Lorsque la vie n'était que facilité, musique, rires, et que pourtant Wolfgang l'avait par deux fois trahie.

La première fois, ce fut en janvier 1784.

Quelques semaines auparavant, le 10 décembre, leur fils aîné, Raymond Léopold, « le pauvre gros, gras et cher petit homme », était mort chez la nourrice à laquelle ils l'avaient confié pendant leur séjour à Salzbourg. Il avait six mois. Et à leur retour, l'appartement était encore tout rempli de ses souvenirs. Chaque fois qu'ils poussaient la porte de sa chambre, Constance et Wolfgang s'attendaient à le trouver sagement endormi dans son berceau.

Ils avaient alors décidé de déménager pour s'installer sur le Graben, au troisième étage de la maison Trattner.

Une adresse que connaissait bien Wolfgang, qui s'y rendait depuis deux ans pour y retrouver son élève : Theresa von Trattner, la seconde épouse d'un gros libraire viennois. Elle avait deux ans de moins que lui et elle mourrait deux ans après lui. Comment était-elle physiquement ? Nul ne le sait. De même qu'il n'existe plus aucune trace de la correspondance que Wolfgang lui avait adressée et qu'après sa mort Constance cherchera désespérément à récupérer. Le refus sera sec et net. Et irréfutable. Constance tentera alors de faire intervenir quelques personnalités pour reprendre ces lettres, arguant de leur incontestable intérêt sur le plan musical. La réponse sera toujours la même. Négative.

Mais à Vienne, au temps des leçons particulières, Theresa von Trattner était une femme influente, riche, et surtout une excellente musicienne, que Wolfgang faisait travailler avec un réel plaisir. Intelligente, sensible, elle possédait cette intuition profonde de la musique, ce désir de mieux l'apprendre qui, très vite, en avait fait l'interlocutrice privilégiée de son jeune professeur. On a dit le plaisir physique que Wolfgang prenait avec Constance, cette complicité érotique qui ne se démentira jamais, bien au contraire, mais à laquelle il manquait l'intense vibration d'un idéal partagé, la rencontre d'un être tout pétri d'amour qui lui serait semblable. Ce modèle parfait qu'il finira par reproduire, chaque fois plus pur, plus transparent, dans tous ses opéras, jusqu'à la perfection de l'incomparable Pamina de *La Flûte enchantée*.

Il semble qu'il y ait eu chez Mozart la poursuite inconsciente d'un rêve amoureux : celui d'une femme musicienne, dotée d'une voix enchanteresse. Compositeur de génie, habité par la musique, il était profondément fasciné par le plus beau de tous les instruments, le plus authentique, le plus pur et le plus charnel à la fois, ce creuset magique de la sensualité : la voix humaine.

Et la voix d'une cantatrice agissait sur lui comme le chant des sirènes sur Ulysse. Theresa von Trattner possédait toutes les qualités qui manquaient et manqueront toujours à Constance : la culture musicale et une certaine féminité inaccessible qui interdit aux hommes toute pensée triviale, qui les fait se prosterner et qui les porte à commettre des folies !

En cela, Constance ne parviendra jamais – mais y pensait-elle ? – à guérir Mozart de sa dichotomie érotique. Et à Vienne, début 1784, il reproduit entre elle et Theresa, sans en avoir conscience, le clivage cousinette-Aloysia. La passion en moins semble-t-il. Ou alors une passion plus mûre, plus charnelle. Wolfgang a vieilli, il a appris l'amour et le sexe. Il a aussi appris, avec Aloysia, la trahison.

Très vite, Theresa va prendre une place capitale dans sa vie, exercer une influence déterminante sur sa carrière. Elle lui ouvre la porte des grandes maisons aristocratiques, notamment celle du prince Galitzine qui ne donnera plus un concert sans y inviter Wolfgang. Elle prête les salons de son hôtel particulier pour des académies de plus en plus prestigieuses : c'est là que les musiciens de la ville se donnent rendez-vous et s'adonnent aux joies de la musique de chambre. C'est aussi là que Wolfgang va retrouver Haydn, son père et maître, auquel il voue une incommensurable admiration, qu'il va rencontrer Gluck, les Storace (le frère et la sœur)...

Ses visites sont de plus en plus fréquentes, les conversations, les tête-à-tête de plus en plus fiévreux. Wolfgang rechigne à s'éloigner de Theresa : ses journées musicales sont toutes organisées chez elle. Et les jours s'écoulent, frénétiques mais heureux. Constance est de nouveau enceinte. Le 21 septembre, elle met au monde son deuxième fils, Karl-Thomas. Et, d'un seul coup, juste après l'accouchement, le drame éclate. Constance fait une scène épouvantable à Wolfgang. La petite Stanzi Marini, comme son mari l'appelle dans les tendres instants, s'est soudainement transformée en furie. Elle en a assez de le savoir chez Theresa. Assez de se sentir humiliée lorsqu'elle la croise à la porte de l'hôtel particulier, elle, toujours grosse, traînant son ventre énorme, les yeux cernés, et Theresa si fine, si aristocratique.

Elle est malheureuse. Elle se sent bafouée. Et elle a la preuve, s'il en était encore besoin, de l'infidélité de Wolfgang. Une preuve éclatante intitulée *Sonate pour piano en ut mineur* (K. 457) qu'il a composée et dédiée à sa comtesse. Chaque note, chaque son chante de façon éclatante son sentiment. Nul ne peut l'entendre sans y lire une déclaration d'amour en règle. Une musique insupportable aux oreilles de Constance !

« Voici l'expression de la passion la plus ardente, la plus fiévreuse et que seul peut ralentir l'épuisement résigné de celui qui en est atteint ! » commente Saint-Foix.

Platonique ou non, Constance ne peut plus endurer cette intimité dont elle se sent cruellement exclue. À peine accouchée d'une semaine, épuisée, attristée par cette aventure que vient de vivre son mari, elle ne veut pas, elle ne peut pas rester un jour de plus sous le toit de cette femme. Et elle obtient gain de cause ! Le

29 septembre, les trois Mozart s'installent au 846 de la Schulerstrasse, une maison digne d'un prince louée sur-le-champ par Wolfgang pour se faire pardonner. Constance en oublie ses griefs et la vie reprend, délicieusement bohème. Mais Mozart a du chagrin. Il parvient mal à oublier Theresa. Un mois plus tard, en proie à un accès de mélancolie, il compose pour elle une fantaisie en *ut* mineur (K. 475), en guise d'ouverture à la sonate. Un morceau où se mêlent étroitement une ineffable tristesse et une indicible sérénité.

Ce sera son cadeau d'adieu. Plus jamais il ne reverra Theresa. Mélancolique, il épanchera son chagrin dans les bras de sa petite épouse... avant de l'oublier tout à fait dans un nouvel amour, sublimé, profond, et très certainement platonique, mais ô combien douloureux pour Constance : celui qu'il va dédier à la ravissante et délicieuse Nancy Storace.

Nancy, ou plus exactement Anna Salina Storace, est la soprano que le tout-Vienne s'arrache. Bien qu'elle n'en ait pas l'étonnant registre de voix, elle est devenue, dans la capitale, la rivale d'Aloysia dont l'étoile commence à décliner. Et Wolfgang, grand ami de Stephen Storace, son frère, est bien incapable de résister à ce que Hildesheimer appellera « un rayonnement particulier ». Nancy tenait de l'Angleterre, la patrie de son père, un teint transparent et une douceur raffinée, et de l'Italie, dont sa mère était originaire, un éclat solaire et un sourire éblouissant. Et comme dans les histoires d'amour les plus classiques, tout va commencer par un conflit. Puisque « la Storace », comme il l'appelle dans ses lettres à son père, est la rivale d'Aloysia, Wolfgang, qui a renoué avec sa belle et son mari des liens très amicaux, prend résolument et fermement parti contre Nancy : « Nous avons tenu conseil pour être plus fins que nos ennemis, écrit-il au mois de juin 1783, car j'ai assez à faire avec eux, et la Lange a aussi assez à faire avec la Storace... »

Mais « la Storace » va forcément être amenée à rencontrer Wolfgang. Sans doute au cours des académies données chez le prince Galitzine. Dès lors l'inimitié qu'il lui portait, a priori, se commue très vite en un tendre sentiment, décuplé par la situation matrimoniale de la jeune femme. Car non seulement elle a une jolie voix, caractéristique indispensable au processus amoureux de Wolfgang, mais de surcroît elle est maltraitée. Or – on l'a bien vu avec Aloysia, méchamment ignorée par les musiciens de Mannheim, ou avec Constance, que Wolfgang présente à son père comme une martyre – les rôles de Cendrillon l'émeuvent profondément...

Toutes les conditions sont donc réunies pour porter Wolfgang vers cette charmante soprano qui n'était arrivée à Vienne que depuis trois ans, accompagnée de son frère. Elle y avait épousé Abraham Fisher, un compatriote violoniste et compositeur ; ténébreux, et jaloux jusqu'à la névrose, il avait vingt-deux ans de plus qu'elle ! Et dès les premiers mois de leur vie commune, le mariage avait tourné à la catastrophe : Fisher frappait Nancy. Il la maltraitait si violemment que l'empereur Joseph II était intervenu et avait expatrié l'irascible époux. Informé de l'affaire, Wolfgang est bouleversé et, pour le coup, ses ennemis de la veille deviennent ses amis.

Ensemble ils courent les académies, les concerts. On les surprend souvent hantant les tavernes pendant les douces nuits de cet été 1784, vidant des verres de punch, s'affrontant au billard...

Et Constance ? Constance est chez elle, grosse bien sûr, l'esprit enfiévré par la relation de son mari avec la comtesse Theresa. Pourquoi se méfier de Nancy qui n'est alors qu'une tendre amie, l'interprète possible d'un projet d'opéra que Mozart abandonnera par la suite : *Lo Sposo deluso*...

Ce n'est qu'au moment – heureux pour Constance – de l'installation dans le nouvel appartement, immense et luxueux, que Wolfgang va commencer d'inviter, tous les dimanches après-midi, Nancy, Haydn et deux violoncellistes. Et c'est là, dans cette atmosphère chaleureuse, que va naître tout doucement, entre cette ravissante jeune femme meurtrie et Wolfgang, une poignante complicité amoureuse. Les académies se multiplient. Nancy en organise à son tour chez elle.

Sait-il déjà qu'il en est épris ? Peut-être pas. Il est encore étourdi, endolori par sa « rupture » avec Theresa. Mais lorsque à la fin de l'été Nancy tombe malade, lorsque les médecins présagent le pire, Wolfgang comprend soudain la portée de ses sentiments. Il tremble pour elle, s'inquiète, tourne en rond, et prie de toutes ses forces.

Les jours se succèdent dans l'inquiétude et la tristesse. Et puis le médecin annonce ce que l'on n'osait plus espérer : Nancy est sauvée...

Wolfgang en est tellement heureux qu'il compose immédiatement, pour fêter cette résurrection, une charmante cantate hélas perdue... Et les concerts, les promenades, les fêtes reprennent. Il travaille à un nouvel opéra, *Les Noces de Figaro*, dans lequel il lui confie le rôle de Suzanne.

Les répétitions commencent, leur intimité se resserre d'autant. Wolfgang ne cesse d'intervenir auprès de Da Ponte, l'auteur du livret. Et c'est Suzanne qui domine l'action. Elle est présente dans toutes les scènes, éclatante dans l'air fameux des marronniers.

« Mozart a projeté ses sentiments personnels ; s'identifiant avec Figaro, le bien-aimé de Suzanne », écrit Hildesheimer...

Hélas, contre toute attente, l'opéra est un fiasco, et l'insolent Figaro va marquer le début de la ruine de Mozart. C'est à dater de ce jour que commence le long processus du naufrage et de la déchéance dans un terrible anonymat auquel ni son enfance, ni ses premières années viennoises ne l'avaient habitué.

C'est que le livret des *Noces de Figaro*, tiré de la pièce de Beaumarchais – pourtant très édulcoré par Da Ponte, pourtant encore accepté par l'empereur Joseph II –, a très mal été ressenti par les Viennois. L'aristocratie, habituée à la scène comme à la cour à avoir le beau rôle, n'a pas du tout apprécié de se voir ridiculisée.

« Dans *Figaro*, explique encore Hildesheimer, tout se ligue contre le seigneur, un comte, rien de plus, mais qui avait toujours disposé à son gré de ses sujets, jusqu'à ce que des inférieurs viennent contrecarrer ses projets. »

Et parmi ces inférieurs, il y a Chérubin. Et c'est lui qui l'emporte contre son seigneur. Un page ! Voilà un affront, une provocation qui ne se peut supporter. Une à une, les portes se referment au nez de Figaro, qui quitte l'affiche...

Comble de tristesse, alors que Mozart connaît fin avril 1786 des difficultés pécuniaires de plus en plus aiguës, les Storace décident de retourner à Londres !

Quitter Nancy ? Mozart ne peut s'y résoudre. Alors ils font tous ensemble des projets de départ.

Et si Wolfgang venait avec eux ? S'il quittait l'Autriche pour l'Angleterre où il fut si heureux, enfant ?

C'est décidé, il va partir !

Mais il y a Constance. Constance qu'il ne peut abandonner, qu'il ne peut laisser seule démunie de tout et surtout d'argent avec ses deux enfants. Mozart se débat. Envisage de les emmener. Mais ils sont encore si petits, et le voyage est si long, si inconfortable lorsque l'argent manque pour s'offrir une bonne voiture !

Et si Constance partait avec lui, et qu'il confiât ses fils à Léopold ? Ils reviendraient vite les chercher, puisque à Londres, grâce à l'aide de leurs amis (Nancy seule gagnait dix fois plus que Wolfgang, à l'époque de sa gloire), il obtiendrait de nombreuses commandes, et peut-être même un poste à la cour...

256

Mais, on l'a vu, Léopold refuse de prendre les enfants en charge. Les Storace vont donc partir sans eux. Sans Wolfgang surtout, qui compose pour Nancy, en guise d'adieu, une aria bouleversante, *Ch'io mi scordi di te... Non temer, amato bene* (K. 505). « Moi aussi, je me souviens de toi... N'aie pas peur, je t'aime », dédicacée « Pour Nancy Storace et pour moi... ».

Jamais, jusqu'à ses derniers jours, il ne l'oubliera. Pendant qu'à Londres elle se démène pour lui trouver un emploi, des commandes, d'éventuelles académies, il l'inonde de lettres, de billets... Autant d'élans sans avenir. Jamais il ne pourra la rejoindre. Trop de dettes. Trop peu d'argent... Et jamais l'on ne saura exactement ce que fut la véritable nature de leur relation. À sa mort Nancy brûlera toutes les lettres de Wolfgang, gardant pour elle seule ces mots qu'il avait mis en musique.

Et tout tourne mal. Nancy n'est plus là. Constance pleure la mort de leur troisième enfant. À l'horizon, les nuages s'amoncellent.

Wolfgang a trente et un ans... et moins de cinq années à vivre ! Des années de solitude et de misère que seule Constance pourra désormais éclairer. Sa femme-enfant vers laquelle il se tourne, comme toujours, à laquelle il revient. Elle va lui accorder son pardon, il le sait. Il le veut. Il en a besoin.

Mais où en est Constance, maintenant ? Que reste-t-il de sa patience, de son optimisme, de ce bel amour des premiers jours ?

12

LA SOLITUDE ET LA MORT

« C'est une espèce de vide qui me fait très mal,
une certaine aspiration qui n'est jamais satisfaite
et ne cesse donc jamais... »

Le 9 janvier 1787, Constance et Wolfgang partent ensemble pour Prague. Mais Wolfgang, toujours amoureux de Nancy, s'y ennuie. Ni l'affection de sa femme, ni l'ovation que lui réserve la ville pour ce *Figaro* que les Viennois ont boudé, ni les gens qu'il rencontre dans la rue et qui en fredonnent les grands airs ne le distraient. Il pense à Nancy, il a envie de la retrouver. Son souvenir le poursuit, l'occupe.

« Bien que je jouisse ici de toutes les politesses, de tous les bonheurs possibles, et que Prague soit d'ailleurs un très bel et agréable lieu, je soupire tout de même après mon retour à Vienne. »

Vienne, où il reprend ses sorties. Promenades à cheval, chaque matin, parties de billard arrosées au punch, chaque soir. Il écrit, donne de maigres leçons, et petit à petit glisse vers la ruine et la misère. Constance ne le voit plus.

En juin 1788, elle a enterré son quatrième enfant, une petite fille, Theresa, qui avait six mois lorsqu'elle fut emportée par le choléra, suivie moins de deux ans plus tard par son cinquième enfant, Anna-Maria, morte à la naissance. Entre-temps, Wolfgang l'a par deux fois laissée seule à Vienne. Pendant les huit longues semaines d'un premier itinéraire qui l'a successivement mené à Prague, Dresde, Leipzig et Berlin. Puis, lors d'un second voyage, celui de la dernière chance, entrepris seul, dans un ultime sursaut d'orgueil, à l'automne 1790, pour trouver à Francfort, à Mayence ou à Munich, ce poste officiel qui lui permettrait enfin de survivre.

Et tout ce temps-là, Constance l'a vécu en solitaire, lasse, en proie à des troubles (réels ou psychosomatiques) de plus en plus fréquents.

Elle est épuisée, mais toujours là. Affectueuse, prévenante, contrairement à ce qu'ont pu en dire ses détracteurs. Ainsi, la veille de la première de *Don Giovanni*, passe-t-elle la nuit au côté de Wolfgang, qui n'en a toujours pas écrit l'ouverture.

Pour qu'il ne s'endorme pas pendant qu'il couvre la partition de notes, elle le masse, le caresse, lui raconte des histoires et lui prépare ces punchs dont il raffole !

Oui, ils s'aiment encore. Bohèmes tous deux, mariés

pour le meilleur et pour le pire, liés indissolublement par la naissance de leurs enfants et, pis, par la mort de leurs enfants, ils pratiquent de la même façon l'art du pardon et de la tolérance. Ils se comprennent et, surtout, ils continuent de se désirer avec force. Et lorsqu'il part en voyage sans elle, Wolfgang ne manque pas de lui écrire, avec une tendresse profonde, inaltérable et merveilleuse :

« Très chère petite femme,

« Tandis que le prince est occupé par les chevaux, je saisis avec joie cette occasion, petite femme de mon cœur, de te dire deux mots. Comment vas-tu ? Penses-tu aussi souvent à moi que je pense à toi ? À tous moments je considère ton portrait et pleure, moitié de joie, moitié de peine. Conserve ta si précieuse santé et conserve-toi bien, amour ! N'aie pas de souci sur mon compte. Je t'écris les yeux pleins de larmes. Adieu. Je t'embrasse des millions de fois le plus tendrement du monde et suis à jamais et fidèlement jusqu'à la mort ton Stu-Stu Mozart. »

Comment ne pas être frappé par le ton de cette lettre, par sa profondeur, par sa tendresse, par le désespoir de Mozart à l'idée de se séparer de Constance ? Elle est à lui, elle est sa femme. Il l'aime, et ses recommandations (« ne te fais pas de souci pour moi ») nous indiquent de surcroît à quel point la santé de son mari devait la préoccuper. D'ailleurs, elle est jalouse : « Comment peux-tu donc croire, même simplement supposer que je t'ai oubliée ? Comment cela me serait-il possible ? Pour cette supposition, tu mérites une adorable fessée sur ton petit cul chéri, et tu peux y compter. »

Une ou deux lettres de Mozart ont dû s'égarer, et elle le questionne. Avec qui est-il ? Que fait-il ? Où dort-il ? Elle veut savoir.

Quel inestimable dommage de n'avoir pas la moindre lettre de Constance à Wolfgang ! Désordonné par nature, il n'archivait ni ses documents, ni son courrier qui finissaient souvent au fond d'un panier. Mais cette négligence ne suffit pas à expliquer la totale disparition des lettres de sa femme, hormis celles qu'elle adressa autrefois à Nannerl pour amadouer sa belle-famille. À moins, et sans doute la raison est-elle là, que Constance ait elle-même détruit des textes qu'elle jugeait compromettants, gênants après son remariage avec le respectable conseiller Nissen.

Mais il est sûr qu'elle lui écrivait, comme il est sûr qu'il en éprouvait le plus grand bonheur !

« J'ai trouvé ce que j'attendais depuis si longtemps d'un ardent désir, une lettre de toi, chérie, excellente. Je passai aussitôt dans ma chambre, tout triomphant, baisai je ne sais combien de fois la lettre avant de l'ouvrir, puis la dévorai plutôt que je ne la lus. »

Il l'aime, oui, mais il est épuisant, et depuis l'échec des *Noces de Figaro*, échec que confirmeront celui de *Don Giovanni* et celui de *La Clémence de Titus*, il paraît ne plus faire d'efforts pour s'intéresser à la vie quotidienne, au monde, à ce qui se passe autour de lui. Quelque chose semble le ronger, et là Constance n'y peut plus rien. Le réconfort qu'elle lui apporte est essentiellement physique. Elle ne peut pas comprendre les mécanismes de la pensée de son mari, parce que sa pensée est extrêmement complexe, parce qu'il passe par de grands moments d'excitation, de rires et de folles facéties, à des phases d'abattement où il semble se replier sur lui-même, hantant des paysages inaccessibles au reste du monde.

Et, de toute évidence, Constance n'a ni l'intelligence ni la finesse nécessaires pour percevoir l'origine du mal : Wolfgang a toujours et encore plus que jamais le besoin de composer. Il sait ses opéras excellents. Il n'en doute pas. Pour *Don Giovanni*, lorsque Joseph II lui fait remarquer que cet opéra « n'est pas un plat pour les dents dures de mes Viennois », Mozart réplique à la volée : « Laissons-leur le temps de le mâcher. »

Il a envie d'écrire, mais il a besoin d'argent. Les accouchements de Constance, les obsèques de ses enfants, leur incapacité réciproque à gérer leur budget, la perte de ses leçons précipitent sa faillite. Et les huit cents florins annuels qu'il reçoit de l'empereur pour une fonction de musicien à la cour (il a obtenu le poste en 1787) ne lui ont jamais suffi pour entretenir sa famille...

Alors il part à la recherche de ce qu'il déteste le plus : les leçons. Il implore Puchberg, son « frère maçonnique », il mendie – lui si fier – florin après florin.

Envoie des épîtres poignantes, bouleversantes quand on connaît son sens de l'honneur et l'orgueil légitime qu'il attache à son nom.

« Au nom de Dieu, je vous demande et conjure de m'accorder tel secours immédiat qu'il vous plaira, ainsi qu'un conseil et une consolation. »

Nous sommes alors le 17 juillet 1789 et Wolfgang – le ton de cette supplique ne laisse aucun doute – est à bout de nerfs.

Constance, enceinte de cinq mois, porte au pied une vilaine blessure qui s'est gravement envenimée. L'os est atteint par l'infection. Elle est brûlante de fièvre et les médecins craignent pour sa vie.

Pour la veiller nuit et jour, Wolfgang, aidé par sa petite belle-sœur Sophie, a renvoyé ses élèves, sa seule ressource en ces jours difficiles. Et lorsque au bout d'un mois de lutte, de râles d'agonisante, de convalescence incertaine, Constance se remet enfin, les médecins ordonnent une cure. Elle part donc pour Baden, une station thermale située à quelques lieues de Vienne.

En fait, malgré les graves difficultés qu'elle connaît et qu'elle abandonne à Wolfgang, elle est heureuse de s'éloigner. Le mot résurrection n'est plus un terme vain à ses oreilles. Elle est ravie de renouer avec le monde. Ravie de respirer l'air pur de la campagne autrichienne, les parfums lourds qui s'exhalent des forêts de chênes, d'entendre le chant des oiseaux, de fouler l'herbe verte, de fuir Vienne. Parce que Vienne, à ses yeux, n'est plus que tristesse et déchéance...

Depuis les années épanouies dans le luxe de leur somptueux appartement de la Schulerstrasse, les Mozart ont déménagé quatre fois. Chaque fois pour un foyer plus modeste, plus triste, plus misérable. Chaque fois aussi parce que les propriétaires, lassés d'attendre leur loyer, les ont chassés.

Et le décor n'est pas le seul à prendre les tons gris de la misère. Chaque jour l'humeur de Wolfgang s'assombrit. Le sort qui semble l'accabler, l'inexplicable anonymat dans lequel on le cantonne, les mystérieuses cabales qui entourent ses créations entament son bel équilibre et son optimisme légendaire. Il a monté *Don Giovanni* à Prague et, comme toujours, Prague s'est enthousiasmé. Mais à Vienne, cet opéra qui peut encore lui assurer la gloire, donc la fortune dont il a besoin pour continuer à composer, reçoit les critiques les plus vives.

« L'ouvrage parut en scène, et, dois-je le dire ? *Don Giovanni* ne fit aucun plaisir, raconte Da Ponte, le librettiste. Tout le monde, sans Mozart, s'imagina qu'il manquait quelque chose. »

Haydn, comme d'habitude, tente d'intervenir. De prendre la défense de son jeune ami.

« Pour l'un, nous dit Rochlitz, témoin de la scène, l'œuvre était trop pleine, pour l'autre, trop chaotique. Pour un troisième, trop peu mélodique. Pour un quatrième, trop inégale. Tout le monde s'était prononcé, sauf Haydn. Enfin, on demanda au maître, enfermé dans sa réserve, d'exprimer son opinion. Il dit alors, avec sa coutumière circonspection : "Je ne puis vider le débat, mais ce que je sais, ajouta-t-il avec vivacité, c'est que Mozart est le plus grand des compositeurs que le monde possède aujourd'hui !" »

Mais Haydn, que Wolfgang appelle « papa », quitte Vienne à son tour. Wolfgang est effondré. Saisi d'un pressentiment, le premier peut-être, de sa mort prochaine, il murmure d'une voix tremblante qu'il faut se dire adieu et non au revoir. Et en effet ces deux hommes, qui avaient en commun une incomparable beauté de l'âme et le même fervent amour de la musique, ne se reverront plus.

Constance, donc, est heureuse sur la route qui l'emmène à Baden. Quelques jours auparavant, elle était encore à l'article de la mort. Et ce souvenir, dès qu'il revient à sa mémoire, la plonge dans l'envie frénétique de s'amuser. De déguster minute par minute cette vie qu'elle a failli perdre.

À Vienne, les rumeurs des fêtes folles auxquelles se livre sa femme parviennent aux oreilles de Wolfgang. Il en est malheureux, mais curieusement, comme on pourrait l'attendre d'un mari bafoué, il ne tempête pas. Il ne parle ni de séparation, ni de vengeance.

« Chère petite femme, je veux causer avec toi bien sincèrement. Tu n'as aucun motif d'être triste. Tu as un mari qui t'aime, qui fait pour toi tout ce qu'il est en état de faire. En ce qui concerne ton pied, il ne te faut que prendre patience, car cela va aller sûrement tout à fait bien. Je suis donc enchanté lorsque tu es gaie... Certes ! Mais je souhaiterais que tu ne sois pas aussi familière que tu l'as été jusqu'ici. Avec... tu me... trop libre... (les noms ont été biffés, soit par Nissen, soit par Constance). De même, avec... quand il était encore à Baden. Réfléchis seulement qu'avec aucune des femmes qu'ils connaissent peut-être mieux que toi, ces messieurs ne se conduisent aussi librement qu'avec toi. N. lui-même, qui est d'ailleurs un homme sérieux et très respectueux, surtout avec les femmes, même lui a été amené à écrire dans sa lettre les sottises les plus abominables et les plus grossières. Une femme doit toujours se faire respecter, autrement elle donne prise aux ragots des gens.

« Mon amour, pardonne-moi d'être aussi franc ! Seulement, mon repos l'exige aussi bien que notre bonheur réciproque. Souviens-toi seulement que tu m'as avoué un jour que tu étais trop liante ! Tu en connais les conséquences ! Souviens-toi de la promesse que tu m'as donnée !

« Oh Dieu, essaye seulement, mon amour ! Sois gaie et contente, et aimable avec moi ! Ne te tourmente pas et ne me tourmente pas avec une jalousie inutile. »

Trop liante... Une promesse, déjà... Constance aurait-elle eu des aventures ? Faute de preuves écrites, faute de lettres, on ne peut se livrer qu'à de pures hypothèses.

Elle n'était en tout cas pas farouche. L'affaire du ruban, les commérages sur sa réputation qui avaient alerté Léopold et Nannerl, les allusions de plus en plus fréquentes à son honneur qui parsèment les lettres de Wolfgang, son tempérament enfin, tout porte à croire qu'à l'instar des personnages de *Cosi fan tutte* Constance tombait fréquemment amoureuse de... l'amour. Et qu'à chaque fois Wolfgang pardonnait, parce que, à ses yeux, l'amour véritable reposait sur le partage du sentiment et non sur la possession exclusive de l'autre : « Le plaisir d'un amour léger et divertissant, n'est-il pas à une distance astronomique de la béatitude que procure un amour sincère et appuyé sur la raison ? »

Généreux époux dont Constance dira, des années plus tard, « qu'on ne pouvait pas s'empêcher de l'aimer, il était si bon ».

Une attitude dont il ne se départira jamais, malgré sa solitude, malgré le désaveu des Viennois.

Car, en 1790, Wolfgang ne peut plus se leurrer. Le recours à son bon vieil optimisme est désormais inutile. Vienne l'a abandonné... Il va à son tour abandonner les Viennois, et s'isoler chaque jour davantage. Orgueil ? Pudeur ? Refuse-t-il d'exposer la misère grandissante de sa condition, la pauvreté intolérable de ses appartements ? Sans aucun doute. Jamais il n'avouera à Haydn, alors à Londres, sa faillite financière.

C'est lui qui ferme sa porte à ses amis. Pourquoi les comtesses von Thun, von Trattner, le prince Galitzine et quelques autres l'auraient-ils unanimement et simultanément renié ?

Il semble bien plus probable que Wolfgang, avec ce sens de l'honneur qui a toujours motivé chacun de ses actes, ait radicalement rompu avec la société des jours heureux. Les amis des derniers mois sont de sombres inconnus avec lesquels il disparaît des nuits entières pendant que Constance, à Baden, le fuit.

Elle le fuit alors qu'il n'a plus qu'elle, et justement parce qu'il n'a plus qu'elle. Constance, à ses yeux, est devenue une île de lumière, une terre d'asile, une oasis, celles vers lesquelles tous les naufragés tendent leurs bras. Un rêve d'autant plus fort qu'il a été vécu, goûté, et que ses saveurs lui reviennent à la bouche dans les pires moments d'amertume.

Or, Wolfgang affronte de plus en plus fréquemment ces trous noirs de sa vie. La nuit semble l'engloutir, le happer et l'entraîner chaque soir avec un groupe de mystérieux individus, qui n'ont certainement rien de très recommandable. Où êtes-vous, Haydn ? Puchberg ? Les derniers fidèles dont la trace finit par s'effacer elle aussi, par disparaître. Et qui êtes-vous, les ultimes compagnons ? Nul n'élucidera jamais ce mystère. Ni Sussmayer ni les quelques rares élèves à avoir suivi Mozart à ce moment-là ne voudront rien livrer.

Les seuls qu'il laisse apparaître à la surface de sa vie sont les gens de théâtre, Schikaneder en tête. Et ce sont eux qui lui procurent ses dernières joies, au dernier été de sa trop courte existence.

En juin 1791, l'état des finances de Wolfgang est désastreux. Les cures de Constance, les fugues qu'il s'offre de temps en temps pour la rejoindre à Baden, l'absence de concerts, d'académies ou de souscriptions l'ont conduit au bord de la misère. Surmené, prenant sur ses heures de sommeil ce que l'obsédante et humiliante quête d'argent vole à ses journées, il devient ombrageux. Au début de l'année 1791, il a bien terminé son concerto pour piano en *si* bémol (K. 595) et celui pour clarinette en *la* (K. 622), mais hélas, ils ne lui ont rien rapporté.

Aussi est-il tout heureux d'accepter la proposition de Schikaneder, ruiné comme lui, avec lequel il partagea de belles heures à Salzbourg. Pour sauver son théâtre et sa troupe, Schikaneder veut un opéra écrit pour le peuple viennois. Il a un livret : *La Flûte enchantée.*

C'est à ce même moment que Wolfgang reçoit une mystérieuse commande, nous dit Niemtschek.

« Peu de temps avant le couronnement de l'empereur Léopold, avant même que Mozart ne reçût l'invitation de se rendre à Prague, une lettre non signée lui fut remise par un messager inconnu qui, en termes flatteurs, lui transmettait cette demande : Mozart consentirait-il à entreprendre une Messe des Morts ? »

En fait cette commande n'avait rien de bien mystérieux : elle provenait du comte Walsseg-Stuppach qui, sachant Mozart ruiné, avait vu là l'opportunité de donner en mémoire de sa femme défunte une œuvre dont il pensait pouvoir s'attribuer la paternité... Mais sur l'esprit fatigué, hypersensible, épuisé de Mozart, elle va avoir un terrible effet.

Lorsqu'elle lui parvient, il croule sous le travail. De Prague on vient de lui demander un opéra pour les fêtes du couronnement de Léopold II, roi de Bohême. C'est *La Clémence de Titus.* Mozart, qui y travaille jour et nuit, part donc en toute hâte avec son disciple, Sussmayer, emmenant aussi Constance et son dernier enfant à peine âgé d'un mois ! Et jusque dans la voiture qui l'emporte, il continue d'écrire sans relâche.

Il est jaune, épuisé. Il est surtout hanté par l'image de cet homme qui, au moment du départ, drapé de noir, a « surgi comme une apparition et, tirant la femme de Mozart par le manteau, demanda où en était le Requiem ».

Le *Requiem*. Il s'en occupera plus tard. Après les fêtes du couronnement. Mais à son retour de Prague, il est malade et doit achever la composition de *La Flûte enchantée*. Constance est déjà repartie pour Baden avec... Sussmayer !

Et Wolfgang lui écrit, de plus en plus désespéré, des lettres bouleversantes de tristesse et de solitude. Il a quitté son appartement où il est seul, « discourant en règle avec les souris qui lui tiennent compagnie », pour s'installer dans la petite maison en bois construite dans le fond du jardin qui entoure le théâtre de Schikaneder.

« Aime-moi toujours comme je t'aime, et sois à jamais ma Stanzi Marini, comme je serai à jamais ton Mozart. »

Et encore :

« Maintenant, je ne désire plus qu'une chose : que mes affaires soient réglées, afin de me retrouver près de toi. Tu ne peux savoir combien, tous ces temps-ci, le temps m'a duré loin de toi ! Je ne puis t'expliquer mon impression : c'est une espèce de vide qui me fait très mal, une certaine aspiration qui n'est jamais satis-faite et ne cesse donc jamais, qui dure toujours et même croît de jour en jour. Quand je pense avec quelle gaieté

d'enfant nous avons passé le temps ensemble ici !
Même mon travail ne me charme plus, parce que j'étais
habitué à me lever de temps à autre pour échanger
deux mots avec toi et que cette satisfaction n'est malheureusement plus possible. Si je vais au piano et
chante quelque chose de mon opéra, je dois tout de
suite m'arrêter : cela me fait trop d'impression ! Basta !
Qu'une heure vienne où mon affaire ait son terme, et
l'heure suivante ne me trouvera plus ici. »

« Ici » où, pourtant, les nuits sont agitées. Schikaneder n'est pas homme à s'embarrasser d'états d'âme.
Il aime la vie, l'alcool et les femmes. Et de la discrète
cabane, des femmes plus légères que les vins du Rhin
ne repartent souvent, dit-on, qu'au petit matin.

Wolfgang en éprouve-t-il du remords ? Oui, sans
doute, mais Constance l'abandonne de plus en plus
souvent, de plus en plus longtemps, et les lettres pathé-
tiques qu'il lui adresse semblent rester sans réponse. Et
quoi de plus lugubre que cette correspondance à une
voix ?

Le 30 septembre 1791, le fantastique succès de *La
Flûte enchantée* emplit Mozart de bonheur, mais ne le
guérit pas pour autant de la mélancolie qui le ronge.
Le succès a beau se confirmer, il est maintenant trop
hanté par l'idée de sa propre mort pour que les accla-
mations du peuple viennois parviennent à l'arracher à
sa déchéance physique et morale.

Constance, qui est revenue à Vienne pour quelques semaines, n'a qu'une idée en tête : repartir ! Ce qu'elle fait en octobre, abandonnant Wolfgang toujours souffrant du mal qu'il a contracté à Prague, pour le désormais irremplaçable Sussmayer (fut-il son amant comme certains l'ont prétendu, voire le père de son dernier enfant ?). Elle va se reposer à Baden. Mais se reposer de quoi ? Des inquiétudes, des pressentiments de son mari, de son humeur maintenant irascible. Il sait qu'il va mourir, il en est sûr. Il ne peut plus reculer devant la composition du *Requiem.* Il s'y attelle avec un mélange d'effroi et de fièvre.

Le 15 octobre, à bout de nerfs, il court chercher refuge à Baden. Et là, brutalement, Constance prend conscience du délabrement de son mari. Elle rentre précipitamment avec lui à Vienne, où elle ne sait que faire pour le distraire de sa fatigue et de sa douleur. Elle invite quelques amis, mais il ne les voit pas. Leur présence, leurs bavardages ne peuvent l'empêcher d'écrire, sans fin, de toutes ses dernières forces.

Au mois de novembre il est de plus en plus faible, et l'idée qu'il a été empoisonné (idée parfaitement fantasmatique) le hante.

Niemtschek est là, effondré. « En quelques jours, Mozart retomba dans sa mélancolie, devint de plus en plus atone et faible, jusqu'à ce qu'il tombât sur son lit de malade, hélas ! pour ne plus s'en relever. »

Dans la nuit du 19 novembre, il est si mal que Constance envoie chercher un médecin.

Le lendemain, le docteur Klosset diagnostique une maladie grave qui pourrait dégénérer en méningite. Les membres de Mozart sont enflés. Son corps est douloureux, fiévreux. En fait, il présente tous les symptômes d'une infection rénale aiguë.

La chambre sent la mort. Constance, Sophie, la petite belle-sœur, se serrent en larmes autour du lit, apportent médications et linges propres.

« Même dans sa grave maladie, nous dit Nissen, il ne fut jamais impatient, et enfin, son ouïe fine et sa sensibilité n'étaient agacées que par le chant d'un canari qu'il aimait et qu'il fallut éloigner de la chambre voisine parce qu'il criait trop fort. »

Chaque jour, ses forces déclinent. Et la peur de mourir le dispute à celle de ne pouvoir achever ce *Requiem* qui le hante jusque dans ses derniers instants de répit.

« Il faut partir maintenant ! Quitter mon art maintenant que, n'étant plus esclave de la mode, n'étant plus enchaîné par les spéculateurs, je pourrais suivre les impulsions de mes inspirations et écrire avec indépendance ce que me dicte mon cœur ! Il faut que je quitte ma famille, mes pauvres enfants, au moment où je serais en état de veiller le mieux à leur bonheur. »

Son fils aîné a sept ans, le tout dernier quatre mois. À la pensée de les savoir seuls au monde, avec sa chère, sa bien-aimée Constance, il est terrorisé. S'il pouvait au moins achever ce *Requiem*...

Le 3 décembre, il tente dans sa chambre d'organiser une répétition. Mais il est trop faible, et lorsque ses amis Hofer et Schack entonnent le merveilleux *Lacrymosa*, Wolfgang fond en larmes. Eut-il « brusquement la certitude qu'il n'achèverait pas son œuvre », comme Schack l'a alors pensé ?

La veille de sa mort, entre rêves et souffrances, il appelle Constance. Dans une dernière ardeur il évoque l'ovation que le peuple de Vienne lui a réservée pour sa *Flûte enchantée*.

— Je voudrais bien l'entendre encore une fois, dit-il doucement.

Trop tard. Déjà il agonise. Le 4, Constance, éperdue, supplie sa sœur, « pour l'amour de Dieu, d'aller trouver les prêtres de Saint-Pierre et de prier un prêtre de venir comme par hasard ».

Le 5 au soir, Wolfgang, connaît l'un de ces temps de répit, presque de résurrection, que la mort accorde quelquefois à ceux qu'elle va prendre.

Calmement, il fait venir autour de lui tous les siens. Il donne des instructions à Sussmayer pour qu'il achève le *Requiem*[1]. Il sourit à Sophie, à Constance qui sanglote comme une enfant, terrifiée à l'idée de perdre cet

---

1. Trente ans après la mort de Mozart, le compositeur autrichien Sigismund Neukomm écrira au Brésil un *Libera me* destiné à conclure le *Requiem* de son compatriote Mozart. Probablement exécuté en 1819 à Rio de Janeiro, ce « nouveau » *Requiem* a été recréé par Jean-Claude Malgoire avec ses musiciens de la Grande Écurie et la Chambre du Roy et la chorale Kantorei Saarlouis.

homme, ce génie, qui fut son mari et qui l'aima si tendrement. Constance qui pose ses lèvres sur cette main brûlante qui serre la sienne, Constance qui perd connaissance...

Tard dans la soirée, alors que le médecin venait enfin de passer et d'ordonner – parce qu'il n'était plus temps de rien – de lui appliquer des compresses froides sur les tempes, « Mozart se dressa sur son lit, les yeux fixes, puis il pencha la tête contre le mur et parut se rendormir ».

Et c'est ainsi qu'à minuit passé de cinquante-cinq minutes, le 5 décembre 1791, Wolfgang Amadeus Mozart, le « petit homme », mourut. À l'éternité, il laissait la musique de son âme, celle-là même qui nous porte à croire aux Dieux et, parfois, en l'homme.

BIBLIOGRAPHIE

Mozart, correspondance (Flammarion).

Wolfgang Amadeus Mozart, de Jean et Brigitte Massin (Fayard).

Dictionnaire Mozart, de Robbins Landon (Lattès).

Mozart, l'âge d'or de la musique à Vienne, de Robbins Landon (Lattès).

Mozart, de Hermann Abert (Breitkopf & Hartel).

Mozart : l'homme et l'œuvre, d'Alfred Einstein (Gallimard).

Mozart, de Wolfgang Hildesheimer (Lattès).

Mozart, l'amour, la mort, de Jean-Victor Hocquard (Séguier).

1791, la dernière année de Mozart, de Robbins Landon (Lattès).

Vie de Mozart, de Franz Xaver Niemetschek (Cierec).

Mozart, sa vie, son œuvre, de Georges de Saint-Foix (Laffont).

Mozart et ses opéras, de Rémy Stricker (Gallimard).

Mémoires de Da Ponte, de l'abbé Lorenzo Da Ponte (Mercure de France).

Mozart retrouvé, d'Alain Gueullette (Messidor Temps Actuels).

Pourquoi Mozart ? du Dr Alfred Tomatis (Fixot).

Mozart, de Henri de Curzon (Barré-Dayez).

TABLE DES MATIÈRES

Direction littéraire
Huguette Maure

assistée de
Maggy Noël

Composition PCA
44400 – Rezé

Impression réalisée sur CAMERON par

BRODARD & TAUPIN

GROUPE CPI

La Flèche

pour le compte des Éditions Michel Lafon
en février 2006

Imprimé en France
Dépôt légal : février 2006
N° d'impression : 34418
ISBN : 2-7499-0408-0
LAF 805